W9-CRX-403

Мужчины, покорившие мир

Ольга
Афанасьева

Эльдар Рязанов
Ирония судьбы,
или...

Москва
алгоритм
2015

УДК 791.44.071.2(470)
ББК 85.374(2)-8
А94

А94
Афанасьева, Ольга Владимировна.
Эльдар Рязанов. Ирония судьбы, или… / Ольга Афанасьева. — Москва : Алгоритм , 2015. — 240 с. — (Мужчины, покорившие мир).

ISBN 978-5-906789-26-6

Эльдар Рязанов — кинорежиссер и сценарист — создал десятки киношедевров на все времена: «Карнавальная ночь», «Гусарская баллада», «Берегись автомобиля», «Служебный роман» и, конечно же, любимый новогодний фильм «Ирония судьбы, или С легким паром!»

Великий мастер обожает ставить комедии, хотя жизнь Э. Рязанова вовсе не представляется комедией. В его судьбе много граней: война; документальное кино; любовь, потери и семейные страсти (мэтр женат трижды); развал великой страны и замена отечественного кино на ширпотреб. Он знает, что «самое трудное — делать комедии о хороших и добрых людях». Он боится фразы, озвученной как-то Феллини: «Мой зритель уже умер». Все закрытые страницы жизни знаменитого Эльдара Рязанова — в новой книге Ольги Афанасьевой!

УДК 791.44.071.2(470)
ББК 85.374(2)-8

ISBN 978-5-906789-26-6

БИОГРАФИЯ КИНОРЕЖИССЕРА — ЕГО ФИЛЬМЫ

Государственные награды и звания мало что добавляют к имени всеми любимого кинорежиссера, получившего почти официальный статус народного героя — Эльдара Рязанова.

Биография кинорежиссера — его фильмы. После окончания института Эльдар Рязанов стал режиссером-документалистом на Центральной студии документальных фильмов, но в полной мере его дарование раскрылось в художественном кино.

Имя Рязанова в советском кинематографе вспыхнуло, как комета, вместе с появлением «Карнавальной ночи». Потом он снял более 20 фильмов, не сразу принятых и понятых. Каждый из них, пусть с запозданием, стал гордостью и славой отечественного кино. Вряд ли найдется человек, который не смотрел «Берегись автомобиля», «Гусарская баллада», «Ирония судьбы, или С легким паром», «Вокзал для двоих», «Служебный роман», «Гараж», «Жестокий романс» и другие. На «Иронии судьбы», которую смотрели миллионы зрителей в новогодние праздники, выросли несколько поколений. А еще Рязанов умел зажигать звезды: именно он открыл зрителю Людмилу Гурченко, Георгия Буркова, Лию Ахеджакову...

Триумф Рязанова был неотделим от творческой трагедии. За всенародное признание было заплачено дорогой ценой. Времена, как известно, не выбирают, и Рязанов-художник не был свободен. Многие фильмы, задуманные им, такие как «Сирано де Бержерак», «Мастер и Маргарита», «Чонкин», так и не были завершены.

Еще одна грань личности Эльдара Рязанова — поэзия:

> Я ничему так не бываю рад,
> Как появлению стихотворенья,
> И принимаю это каждый раз
> Как дар, как счастье, как благословенье.

Талантливый человек талантлив во всем. Событием культурной жизни стали авторские программы Рязанова на телевидении. Никогда не забудут телезрители рязановскую «Кинопанораму»: телепередачи о Высоцком, Ширвиндте, Никулине, Параджанове.

Из мастерской комедийного фильма Рязанова на Высших режиссерских курсах вышли Иван Дыховичный, Е. Цимбал, Юрий Мамин, Исаак Фридберг и другие.

Эльдар Рязанов во многом похож на своего Андерсена. Он тоже много лет создает сказки — добрые и грустные, веселые и трагические. Мнение кинокритиков не всегда совпадает с народным. Но ясно одно: удачные и не очень, смешные и грустные, все сказки Рязанова навсегда останутся классикой российского кино.

ДЕТСТВО И ЮНОСТЬ

Эльдар Рязанов родился 18 ноября 1927 года в Самаре в семье работников советского торгпредства в Тегеране Александра Семеновича Рязанова и Софьи Михайловны Рязановой (Шустерман).

Вскоре семья переехала в Москву. Александр Семенович работал начальником винного главка, а затем был репрессирован. В 1930-х годах семья распалась, и будущий кинорежиссер воспитывался матерью.

«Родители мои никакого отношения к искусству не имели. Отец был большевиком, участником Гражданской войны. Мать, повстречав бравого красноармейца, ушла с ним из своей мещанской семьи. Отец воевал против Колчака. В 1922 году, когда ему было 24 года, его послали разведчиком в Китай. Мать поехала с ним. Потом, еще до моего рождения, они работали в Персии, в Тегеране. Они числились работающими в торгпредстве, но отец, видимо, засыпался как шпион, и их оттуда выслали. Я говорю достаточно приблизительно, потому что с отцом у меня в жизни было крайне мало контактов.

...В Москве отца назначили начальником винного главка. И тут произошла трагедия — он начал пить. Возвращался с работы в невменяемом состоянии, бывало, в одном нижнем белье, начал поколачивать мать. В 1930 году, когда мне было три года, у нас была отдельная трехкомнатная квартира в Зарядье, где сейчас гостиница «Россия», — с окнами на Красную площадь. И мать взяла меня, трехлетнего, в охапку и ушла жить к подруге.

Отец женился во второй раз. У меня должна быть сестра 34-го или 35-го года рождения, но я так и не знаю, где она, как ее зовут, жива ли вообще, может, умерла маленькой? Все следы потеряны, потому что в 38-м году отца посадили. В начале 60-х он меня нашел по моим фильмам. Но близкого контакта не получилось: пришел совершенно незнакомый мне, сломанный жизнью, разбитый человек. И свою дочку он не нашел. Такая вот печальная история. Ну а мать вышла замуж, и меня с семилетнего возраста воспитывал отчим. Это был совершенно потрясающий человек. У меня есть сводный брат, и никогда в жизни я не чувствовал разницы отношений отчима к родному сыну и ко мне. Он был рядовой инженер, совершенно обычный человек, но с огромной внутренней интеллигентностью. Прожил восемьдесят шесть лет.

...Меня не пороли и не ставили в угол, но выговаривали так, чтобы я запоминал. Кроме того, меня воспитывала жизнь. В военные годы я нянчил младшего брата, стоял в очередях. Как-то сломал лыжу и плакал, потому что понимал, как тяжело будет маме заплатить за нее[1].

Любимым занятием маленького Эльдара было чтение. Он научился читать в три года по газетным заголовкам. Чтение поглощало его с головой, он погружался в прекрасный вымышленный мир.

В третьем классе Эльдар записался в несколько районных библиотек. В одной из них книжки выдавались детям по возрасту, и требовалась справка из школы — ученик какого класса хочет записаться. И тогда Рязанов совершил подделку документа. Вместо «ученик 3-го класса» в справке стараниями Эльдара появилось «5-го». И тогда ему стали выдавать книги для пятиклассников. Он твердо решил стать писателем, даря людям такое же удовольствие, какое получал сам.

Став постарше, он понял: писателю необходим жизненный опыт. Поэтому нужно выбрать такую профессию, которая обогатит его яркими впечатлениями, не монотонную рутину. Вдохновила его одна из любимых книг — «Мартин Иден» Джека Лондона, история молодого моряка, ставшего знаменитым писателем. И юный Эльдар твердо решил поступить в мореходное училище. Охваченный нетерпением, он решил досрочно, экстерном сдать выпускные экзамены. Любимые предметы (литературу, иностранный язык, географию) сдал легко, но некоторые были для него почти незнакомы, а на подготовку давался всего день. За этот день Эльдар прочитывал учебник, как книгу, и благодаря хорошей зрительной памяти умудрился сдать даже физику, о которой до экзамена почти не имел представления.

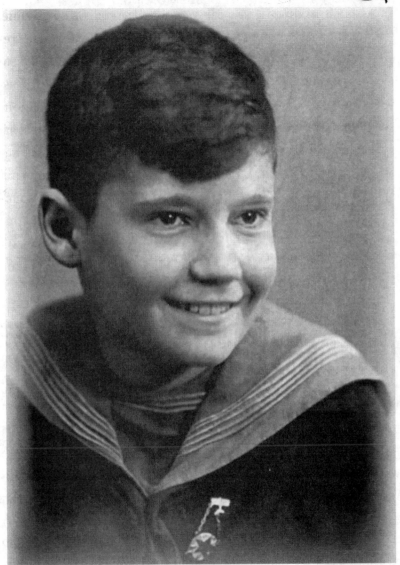

15-летний Эльдар.
Юный мечтатель, обожавший чтение

«Накануне я как раз успел проштудировать учебник физики. Не понял я в нем, правда, ни бельмеса, но прочитал добросовестно от корки до корки. Благодаря колоссальному напряжению воли я заставил себя вспомнить те страницы, на которых был материал по первым двум пунктам экзаменационного билета. Перед глазами как бы всплыли строчки, и я слово в слово по памяти записал на бумажку то, что вчера видел в учебнике. На задачу же я уставился как баран на новые ворота и оставил ее в покое. Я даже не понимал, с какого бока к ней можно подойти.

Наконец меня вызвали к доске. На первые два вопроса я отбарабанил наизусть весь текст учебника. Учителя остались довольны: «Спасибо, садитесь. Отлично». Это было неслыханное везение! Ведь стоило им подобраться к задаче, я тут же оказался бы разоблачен в своем невежестве, выбыл бы из экзаменационного марафона.

Так благодаря счастливой случайности я перевалил один из самых сложных для меня рубежей»[2].

Сдав экзамены, новоиспеченный выпускник отправил документы в Одесское мореходное училище. Но судьба, великий режиссер, распорядилась так, что в училище Эльдар не попал.

Шла война, 1944 год, и поскольку училище не вернулось еще в Одессу из эвакуации, ответа не было. Надо было куда-нибудь поступать. Тут Эльдар встретил приятеля, бывшего одноклассника, и он уговорил его поехать вместе с ним по-

ступать во ВГИК, хотя тогда будущий режиссер даже не знал, что это такое. В приемной комиссии выяснилось, что для поступления на актерский факультет надо было выступать в самодеятельности. Рязанов не выступал в самодеятельности никогда.

Чтобы поступить на художественно-оформительский, надо было уметь рисовать; Эльдар рисовать не умел. Поступая на операторский, надо было предъявить свои фотографии. Жила семья бедно, фотоаппарата у юного Рязанова не было и фотографировать он не умел.

При поступлении на сценарный факультет требовалось показать какие-то сценарии.

«...Единственный факультет, где ничего не надо было уметь делать, был режиссерский; я понял — это факультет для меня. Когда я подал документы, выяснилось, что конкурс туда 25 человек на место. У меня никакого блата не было, в моей семье никто не работал в кино и в начальниках не был. Я, как теперь говорят, пришел с улицы. В общем, меня приняли условно, а это означало, что если в первом семестре я получу плохие отметки по режиссуре и актерскому мастерству — главным профилирующим предметам, то меня в январе выгонят на улицу.

Учился я на «тройки», Козинцев был очень недоволен тем, что я делаю, но я был просто очень молод; все другие студенты были старше, многие пришли с войны, а я был абсолютно «зеленый» недоросток. Когда в конце II курса Козинцев сказал мне: «Дорогой Элик, нам с

вами придется расстаться», я очень расстроился: я уже очень хотел закончить ВГИК, стать кинорежиссером, а про моряцкие свои замашки уже давно забыл. «Вы слишком молоды», — сказал мне тогда Козинцев, и меня спас ответ: «Григорий Михайлович, но когда Вы меня два года назад принимали, Вы должны были это заметить тогда». Он почесал голову и сказал: «Да, верно, черт с Вами, учитесь». И вот благодаря этому я как-то дотянул до диплома, на защиту которого Козинцев даже не приехал; мне предназначалась нелестная отметка, но диплом мой комиссии очень понравился, я получил диплом с отличием, несмотря на то что был троечником»[3].

Нетрудно догадаться, что во время учебы Рязанов совершенно забыл о детской мечте — стать моряком. Сразу после окончания ВГИКа он стал режиссером-документалистом. Путешествовал по Сахалину, Камчатке, Курильским и Командорским островам. Довелось молодому режиссеру и поплавать на китобойной флотилии, рыболовецких судах в Охотском море. Он снимал фильмы о самых разных людях: путейцах, рыбаках, спортсменах, полярниках и военных. Работа в документальном кино дала ему бесценный жизненный опыт.

Рязанов пришел в кинохронику в 1950 году. Документальное кино тех лет, если говорить о реальной жизни, не имело к ней никакого отношения. Все преподносилось как процветание страны победившего пролетариата. Документальные фильмы, отвечавшие критериям тоталитарного государства, живописно показывающие процветающие союзные респуб-

Всероссийский государственный университет
кинематографии имени С. А. Герасимова (ВГИК)

лики или парады физкультурников, часто получали Сталинские премии, и за такие заказы между режиссерами шла постоянная борьба.

Во время учебы Эльдар познакомился со своей будущей женой, сокурсницей Зоей Фоминой. Весной 1950 года, защитив дипломы, Элик и Зоя устроились на Центральную студию документальных фильмов. А спустя два месяца, уезжая в Ереван в первую большую экспедицию, с радостью узнали, что скоро их станет трое — Фомина к тому времени забеременела. Появившуюся на свет девочку назвали Олей.

Молодой ассистент режиссера Рязанов не особенно задумывался в те времена о «правде жизни». Он, как и его старшие коллеги, лакировал действительность. Снимая фильм о нефтяниках Кубани, он распорядился покрасить облупленный фасад магазина. Мебель в квартире у одного заслуженного нефтяника была старой и обшарпанной, зато у его соседа, который не был Героем труда, — новенькой и нарядной. И тогда Рязанов вместе с оператором перетащил нужную мебель в нужную квартиру. Но ему было неловко, и перестановку он совершил ночью, чтобы никто не видел.

В 1954 году Рязанову вместе с приятелем — режиссером Василием Катаняном — предложили сделать фильм об острове Сахалин. На Сахалине они узнали, что год назад в море рыболовецкое судно было затерто льдами. На парашютах команде корабля сбрасывали мешки и ящики с продуктами, взрывчатку, письма родных. Рыбаки взорвали льды и вышли в чистые воды, на свободу. Этот эпизод документалисты решили инсценировать. Оператора Леонида Панкина на рыбац-

ком судне отправили в Охотское море искать льды. Рыбаков попросили до съемок не бриться — для выразительности.

Корабль специально продрался в целое поле торосов. Съемочная группа на самолетах отправилась к месту происшествия. С одного самолета собирались снимать все спасательные операции, с другого должны были сбросить мешки и ящики на парашютах. Их набили опилками. Вместе с ними, по задумке режиссеров, на палубу должен был спуститься оператор, иначе трудно было бы объяснить, как снимали происходящее на корабле. В его роли выступил манекен, одетый в полушубок, купленный Рязановым и Катаняном у портного за собственные деньги.

По команде Рязанова операторы включили камеры и с самолета выбросили чучело на парашюте. Потом в монтаже эпизода пошли кадры, снятые оператором, который давно уже был на корабле. Небритые рыбаки вскрывали мешки, доставали продукты, спирт, консервы, письма. Потом оператор Леонид Панкин снял с корабля закладку взрывчатки и освобождение судна из ледяного плена.

«Дальний Восток в какой-то степени удовлетворил мои романтические, джек-лондоновские наклонности. Я охотился на китов с китобоями. Бродил по тундре с геологами и оленеводами. Тонул на краболовном разведчике. Спускался в кратер Ключевской сопки с вулканологами. С рыбаками ловил сельдь. С краболовами ставил сети на крабов. Вместе с пограничниками преследовал нарушителей границы... Дальневосточные экспедиции

были счастливым периодом моей жизни на хронике. Каждодневная же работа над киножурналами и выпусками новостей после возвращения с Дальнего Востока невольно толкала к стереотипности мышления. Я чувствовал, что постепенно утрачиваю свежесть взгляда, начинаю думать штампами. Готовые рецепты, годящиеся на все случаи жизни, стали часто подменять творческие поиски.

И я понял — надо уходить в художественное кино»[4].

История о четырех героях, выживших на маленьком судне среди льдов, вдохновила Рязанова

«МОСФИЛЬМ»: ПЕРВЫЙ ОПЫТ

В 1955 году Рязанов стал режиссером киностудии «Мосфильм» и поставил (с Сергеем Гуровым) первый советский широкоэкранный фильм-ревю «Весенние голоса», в котором были и игровые эпизоды.

В середине 1950-х годов была дана правительственная установка увеличить количество художественных фильмов до 120 в год. Кадров для этой задачи не хватало, и на киностудии стало прибывать пополнение в лице новых актеров, режиссеров-документалистов, театральных драматургов. Задумался о художественном кино и Эльдар Рязанов. Но ему не хотелось начинать ассистентом после того, как уже доводилось работать самостоятельно на документальной хронике. Тем более что фильм «Остров Сахалин» поехал на фестиваль в Канны. Своими стремлениями и сомнениями Эльдар Рязанов поделился с известным режиссером документальных фильмов Леонидом Кристи, и тот посоветовал ему объединить силы с Сергеем Гуровым, режиссером-документалистом, которого пригласили на Мосфильм для съемок фильма о самодеятельности в ремесленных училищах. Гуров не так давно перенес инфаркт и нуждался в энергичном помощни-

ке. Кристи познакомил будущих соавторов, Гуров договорился с администрацией «Мосфильма», и было решено поставить фильм под названием «Весенние голоса». Так Рязанов неожиданно для себя оказался на «Мосфильме».

«Весенние голоса» сняли в виде музыкального ревю. Фильм оказался не совсем художественным, но и не вполне документальным, а чем-то средним, сочетающим элементы разных жанров. Сергей Гуров помогал молодому Рязанову освоиться с новой для него работой на «Мосфильме», понять множество технических деталей.

«С первого же дня работы над фильмом «Весенние голоса» навалилось огромное количество дел, проблем, сомнений. Беспрерывно нужно было отвечать на десятки разнообразных вопросов. Какой ритм эпизода? Когда происходит действие — днем, вечером, ночью? Каким воспользоваться объективом? Как покрасить деревья? Что поставить на стол? Какую артистку пригласить на эпизод?

Эти проклятые главные слова в искусстве — как, какой, какое, в какой мере.

Я вскоре понял, что снять первый художественный фильм, если постановщик еще пассивен и учится сам, — значит ответить на те вопросы, которые будут задавать ассистенты, гримеры, операторы, реквизиторы, бутафоры, декораторы, артисты. Все они подвергали меня перекрестному допросу. На их лицах было написано, что они готовы тут же выполнить мои распоряжения. Но я-

то понимал, что многие из этих людей работали на своем веку с Эйзенштейном и Пудовкиным, с Пырьевым и Довженко, с Роммом и Райзманом. И в их глазах — мне казалось — я всегда читал один-единственный, основной вопрос, который, конечно, они никогда не произнесут вслух: а какой ты режиссер? И режиссер ли ты на самом деле?»[5]

Опыт в кинохронике помог Рязанову быстро сориентироваться и действовать при этом с высокой скоростью. Ведь настоящее, не сыгранное событие невозможно задержать, не успеешь вовремя — и вот оно закончилось. Молодой режиссер умел отбирать детали, соразмерять частности с основной мыслью.

«Весенние голоса» прошли практически незаметно. Фильм был вполне традиционным, рассказывал о самодеятельности трудовых резервов, и снимался добросовестно. А кроме того, «Весенние голоса» стали для Эльдара Рязанова приемным экзаменом в мир художественного кино. Они предваряли первый его «звездный» фильм — «Карнавальная ночь».

Кадр из фильма «Счастливая юность»

ПЕРВЫЕ КОМЕДИИ

«Карнавальная ночь»

После завершения съемок «Весенних голосов» Рязанова приняли в штат «Мосфильма». Он решил отправиться в свой первый отпуск, но его внезапно вызвал директор студии, легендарный режиссер Иван Пырьев.

В кабинете Пырьева, помимо хозяина, присутствовали двое — Борис Ласкин, написавший сценарий «Веселых голосов», и писатель-юморист Владимир Поляков.

Пырьев начал: «Эти талантливые люди решили снять музыкальную комедию. Не хочешь ли принять участие? Ты бы смог. И с музыкой умеешь работать...»

Рязанов от неожиданности ответил, что идея ему не нравится, и вообще он едет в отпуск. Есть уже билеты, путевка... Коварный Пырьев попросил: «Ну-ка, покажи».

«Я еще был очень наивен, плохо разбирался в Пырьеве и неосмотрительно вручил ему путевку и билет. Пырьев нажал на кнопку звонка, в кабинет влетел референт.

— Сдайте в кассу билет, путевку верните обратно, а деньги возвратите ему. — Пырьев показал на меня, референт кивнул головой и удалился. — А ты поедешь в Болшево, в наш Дом творчества. Будешь там отдыхать и помогать им писать сценарий.

Обыкновенные руководители не поступают так, как обошелся со мной глава студии. Тут, конечно, сказалось то, что Пырьев был не только должностным лицом, но и режиссером. Он остался им и на посту директора. Он шел к цели — в данном случае он хотел заставить меня принять свое предложение — не официальными, а чисто личными, я бы сказал — режиссерскими ходами. Этот поступок Ивана Александровича смахивал на самоуправство, а я, вместо того чтобы отстаивать свои жизненные намерения, спасовал, струсил. Откровенно признаюсь: я Пырьева очень боялся. О его неукротимости и ярости на студии гуляли легенды. Я испугался, что, если буду перечить, он меня запросто выставит со студии. В этом столкновении воля Пырьева победила довольно легко, я, в общем-то, не сопротивлялся»[6].

Иван Александрович Пырьев, помимо таланта, славился неистовым темпераментом — недаром он участвовал в Первой мировой и имел Георгиевские кресты за храбрость. В 1918 году он записался в ряды Красной армии. Сначала был рядовым красноармейцем, затем политруком, агитатором в политотделе 4-й железнодорожной бригады. В это время Пырьев начал учиться в театральной студии Губпрофсо-

вета, где встретился и подружился с другим знаменитым режиссером — Григорием Александровым. Иван Пырьев стал одним из организаторов Уральского Пролеткульта. В Екатеринбурге он месяца три под фамилией Алтайский играл небольшие роли в профессиональной драматической труппе. В конце лета 1921 года в Екатеринбург приехала на гастроли Третья студия МХАТ. Пырьев с Александровым были настолько поражены их искусством, что вскоре отправились в Москву, где и началась его карьера. Это был человек выдающийся во всех отношениях и ни в чем не знавший удержу — ни в работе, ни в любви. Все свои силы он бросил на создание новой кинематографии.

Пырьев сам поставил немало комедийных лент, очень любил этот жанр и каждого пытался заставить делать комедию. Но почему-то никто из молодых режиссеров, включая Рязанова, к этому не стремился.

В период постановки «Карнавальной ночи» Рязанов не раз пытался отказаться от своего участия. Но Пырьев не уступал, и Рязанов покорился его неукротимой воле.

По сюжету «Карнавальной ночи работники Дома культуры готовятся к ежегодному мероприятию — костюмированному новогоднему карнавалу. Развлекательная программа включает в себя сольные, танцевальные, цирковые номера, выступление джазового оркестра, выступления фокусника и клоунов. Товарищ Огурцов, назначенный исполняющим обязанности директора ДК, ознакомившись с программой, не одобряет ее, поскольку, как он считает, все должно быть проведено на высоком уровне и «главное — сурьезно!». Он пред-

Кадр из фильма «Карнавальная ночь». 1956 г.

лагает свою программу, с докладчиком и выступлением лектора-астронома. Кроме классической музыкой и выступления ансамбля песни и пляски, никаких других музыкальных номеров, по мнению Огурцова, быть не должно.

Работники Дома культуры делают все возможное, чтобы помешать осуществлению планов Огурцова. Никто не желает менять отрепетированную программу на скучное и сухое «общественное мероприятие». Прибегая к разным уловкам, отвлекая и обманывая Огурцова, они все-таки исполняют свои отрепетированные номера и весело празднуют наступление Нового года.

Съемочная группа по настоянию Пырьева была укомплектована умелыми и опытными людьми, которые должны были помочь молодому режиссеру. Увидев, что постановщик — новичок, некоторые из них сразу же принялись учить Рязанова, как надо снимать музыкальную комедию. Сначала он пытался выслушивать каждую точку зрения (а они часто были прямо противоположными), потом — убеждать в своей правоте, но потом прибег к собственной методике: всех слушать, не возражать, кивать головой, а делать по-своему.

Когда начались съемки, Пырьев еженедельно смотрел отснятый материал и тут же вызывал Рязанова. Неистово ругал за то, что не нравилось, но и на похвалы на скупился, если бывал доволен. Рязанов пытался применять и к Пырьеву свою методику молчаливого сопротивления и, соглашаясь с ним, делать все по-своему, но его быстро раскусили. Пырьев умел добиваться своего.

Много споров было вокруг роли Огурцова. Рязанову нравился актер Петр Константинов. Его Огурцов внушал страх своим натурализмом: на пробах играл зловещего и мрачного чиновника. Ничего смешного в нем не было, и это Пырьеву не понравилось. В роли Огурцова он видел Игоря Ильинского — и никого больше.

«...Я намеревался поставить реалистическую, не только смешную, но и ядовитую ленту, где социальные мотивы — разоблачение Огурцова — играли бы доминирующую роль. То есть я стремился снять в первую очередь сатирическую комедию, зло высмеивающую дураков бюрократов, оказавшихся не на своем месте. «Будет замечательно, — думал я, — если картина станет вызывать не только смех, но и горечь».

Пырьев же направлял меня в сторону более условного кинозрелища, где красочность, музыкальность, карнавальность создавали бы жизнерадостное настроение, а Огурцов был бы лишь нелеп, смешон и никого не пугал. Сочная, комическая манера Ильинского, с точки зрения Пырьева, идеально подходила к такому толкованию. При этом Иван Александрович не отрицал сатирической направленности картины, он считал, что при гротесковом, буффонном решении сила сатиры увеличивается. Я же был уверен (и тогда и сейчас), что так называемая реалистическая сатира бьет более точно, более хлестко, более полновесно.

В этом сражении опять победил Пырьев. Я не смог настоять на своем и уступил в очередной раз. И рад, что уступил! Я счастлив, что снимал в главной роли Игоря Владимировича Ильинского. Мне кажется, он создал замечательный и типичный образ туполобого чиновника. А я познакомился и сдружился с крупнейшим актером нашей страны. Что же касается интерпретации фильма, я не берусь судить, кто из нас был тогда прав — Пырьев или я. Ведь существует только один вариант «Карнавальной ночи». А сравнивать осуществленную комедию с неосуществленным замыслом — невозможно»[7].

Ильинский сыграл гениально. Он показал тупость и ограниченность своего героя, его приспособленчество и надменность, внес в роль множество красок и оттенков. Успех, выпавший на долю картины, был связан и с участием Ильинского. Зрители узнавали знакомые черты начальственных дураков.

Главной героиней «Карнавальной ночи» была Леночка Крылова. Среди претенденток на главную женскую роль значилась и Людмила Гурченко, студентка второго курса ВГИКа. Она уже снималась в картине Яна Фрида «Дорога правды». Она была музыкальна, хорошо танцевала и пела. Провели кинопробы: претендентки играли актерский эпизод из сценария и исполняли песенку на выбор. Гурченко пела одну из песен модной в те годы аргентинской актрисы Лолиты Торрес.

Гурченко спела и станцевала очень хорошо, но поначалу ее кандидатуру отклонили и съемочная группа, и художест-

На съемках «Карнавальной ночи». 1956 г.

венный совет. Оператор был молодым дебютантом. Гурченко он по неопытности изуродовал до полной неузнаваемости. И тогда утвердили прехорошенькую девушку из самодеятельности. Начались съемки. И через несколько дней стало ясно, что девушка совершенно не умеет играть. Стало ясно: героиня не подходит. И Рязанов уговорил Пырьева сменить актрису. Но кем?

Вернуться к Гурченко никому и в голову не пришло, но Пырьев предложил именно ее. Оказывается, он уже успел с ней познакомиться и проникся ее обаянием.

Оператора тоже сменили на более опытного (оказалось, что на кинопробах он сумел исказить до неузнаваемости внешность не только Гурченко, но и других претенденток на роль). Попробовали разный грим, подобрали освещение, сшили несколько платьев, подчеркивающих тонкую талию Людмилы, — и появилась чудесная героиня «Карнавальной ночи» Леночка Крылова, которую вскоре узнает и полюбит вся страна.

За работой постановщика-новичка следила вся съемочная группа. Сцены приходилось переснимать, многое было для Рязанова в новинку. Он не укладывался в сроки, возник перерасход сметы. Стали разноситься слухи о бестолковом молодом режиссере, и вскоре для обсуждения дальнейшей судьбы фильма собрался художественный совет студии. Опытные деятели кино, в том числе знаменитый Сергей Юткевич, посмотрели отрывки «Карнавальной ночи» и разнесли их в пух и прах — никто из них не снимал комедии. Но фильм все-таки решили закончить.

«...Кстати, тот же С.И. Юткевич безудержно хвалил мой следующий фильм «Девушка без адреса», когда художественный совет принимал картину. «Девушка без адреса» была откровенно слабее «Карнавальной ночи», и я не понял такой необъективности С.И. Юткевича. Мне объяснили, что тогдашний его выпад по поводу «Карнавальной ночи» был направлен не столько против меня, сколько против Владимира Полякова, одного из соавторов сценария, который сочинил ехидную поэму, где высмеивал угоднический круговорот вокруг Ива Монтана, приезжавшего к нам в страну с гастролями в 1956 году. И Юткевич был одним из объектов издевки. Мне, молодому режиссеру, принимающему все за чистую монету, подобное не могло даже прийти в голову. Но каждому из нас, как выяснилось, не чуждо ничто человеческое. Потом, все остальные годы, с Сергеем Иосифовичем у меня были ровные, доброжелательные отношения...

Конечно, если бы не поддержка Пырьева, меня убрали бы с постановки. Иван Александрович по-прежнему верил в меня, и лишь благодаря его защите я смог доковылять до конца. Пырьев ни разу не усомнился в том, что я выиграю битву. Кроме того, он сам ставил комедии и на собственной шкуре испытал, как это трудно, как редко приходит удача, как хрупок и беззащитен комедийный жанр, как надо бережно к нему относиться»[8].

В «Карнавальной ночи» в роли Леночки Крыловой впервые раскрылись многогранные таланты Гурченко. Она пре-

красно сыграла девчонку-заводилу. Не подвели и композитор, оператор, художники по гриму и костюму, режиссер, балетмейстер. После долгих мучений фильм вышел на экраны. И вскоре после этого и Гурченко, и Рязанов «проснулись знаменитыми».

Пырьев не ошибся в выборе режиссера и актрисы: «Карнавальная ночь» имела бешеный успех.

В следующем году Рязанов поставил лирическую комедию «Девушка без адреса». В ней молодой строитель Паша Гусаров знакомится в поезде с девушкой с неуживчивым характером — Катей Ивановой. В начале поездки их отношения не складываются, однако к концу дороги они решают не расставаться. Однако судьба вносит свои коррективы. Выйдя из вагона поезда в разные двери, молодые люди разминулись на вокзале. Единственное, что Паша успел узнать от Кати, уезжавшей на автобусе, — начало адреса: «Николо...»

Молодой человек не отчаивается и начинает искать в большой Москве девушку по фамилии Иванова. Тем временем Катя живет у своего деда, вахтера в райсовете. Стать актрисой Кате не удалось, она работает лифтером, ссорясь почти со всеми. Наконец, разругавшись и с собственным дедом, она уходит из дома. Она меняет рабочие места: домработница, работник дорожной службы, манекенщица. На показе мод, увидев в окне Пашу, она бежит за ним прямо в модельном платье, но не успевает догнать. Подруга помогает ей устроиться курьером. На этом месте Катя доказывает начальству, что их учреждение по сути совершенно лишнее в систе-

Кадр из фильма «Девушка без адреса»

ме народного хозяйства, после чего их контору закрывают, а сотрудников переводят работать на стройку. Катя же решает вовсе уехать из Москвы. Однако на том самом вокзале, где она рассталась со своим Пашей, она наконец и встречает свою потерянную любовь — традиционный хеппи энд.

Рязанов не любил этот фильм и впоследствии вспоминал о нем с неохотой, несмотря на то, что «Девушка без адреса» вышла на второе место по просмотрам в 1958 году.

«Как создавался Робинзон» — советский короткометражный художественный фильм, поставленный на киностудии «Мосфильм» в 1961 году режиссером Эльдаром Рязановым по мотивам одноименного фельетона Ильи Ильфа и Евгения Петрова. Эта новелла открывает собой киноальманах «Совершенно серьезно».

Следующим за «Девушкой без адреса» стала короткометражная сатирическая киноновелла «Как создавался Робинзон». Она рассказывала о редакторе, которому писатель принес роман о советском Робинзоне. Редактор настолько дает себе волю, что превращает остров в полуостров и выбрасывает из романа самого Робинзона.

В фельетоне в ответ на реплику главного редактора: «Но не просто Робинзон, а советский Робинзон» писатель Молдаванцев отвечал: «Какой же еще! Не румынский!». В фильме слово «румынский» заменено на «турецкий». Также в некоторых репликах слово «советский» заменено словом «современный» (вместо «Да, но нет ничего советского» редактор говорит «Да, но нет ничего современного»). Цензура не дремала.

После «Карнавальной ночи» и «Девушки без адреса» молодому режиссеру выделили отдельную квартиру.

— У меня было счастливое детство, — вспоминала дочь режиссера Ольга Эльдаровна. — Картины отца я очень люблю, они рождались параллельно с моей жизнью. Впрочем, у папы хватало времени не только на работу, но и на меня. Учил кататься на лыжах и коньках, летом вывозил нас с мамой на курорты. Мы любили отдыхать на Рижском взморье и в Пицунде. Помню, приехали однажды в Адлер. Оттуда до Абхазии нужно было перелетать на вертолете. Приземлились, схватили чемоданы, вышли на шоссе и долго там стояли, как три беспризорника, — никто до санатория везти не хотел. Вдруг рядом резко останавливается машина, оттуда выбегает милый, доброжелательный грузин и сажает нас к себе. По дороге выяснилось, что нашего спасителя зовут Зураб Церетели. Он, равно как и папа, тогда не был так известен, работал скульптором в Пицунде. Подружились. Церетели еще в первый вечер прислал нам корзину с фруктами и вином.

«Человек ниоткуда»

В конце 1950-х годов и в России и в мире активно обсуждались гипотезы о существовании снежного человека. Вдохновившись этим, Эльдар Рязанов решил использовать тему нетронутого цивилизацией наивного дикаря. К работе подключился театральный драматург Леонид Зорин — для него это был первый опыт работы в кино.

«Сценарий этой картины родился так: я пришел к Леониду Зорину и предложил ему тему: первобытный снежный человек попадает в современную Москву и что из этого получается. В те годы, как, впрочем, и сейчас, в прессе активно обсуждалась гипотеза о существовании снежного человека. Чего только не было в сценарии — кинодебюте Л. Зорина, — а затем и на экране!

Картина одновременно и цветная и черно-белая; в ней причудливо переплетались реальная действительность и сон, фантастика. Персонажи то говорят прозой, то вещают белыми стихами. Невероятные события перемешиваются с вполне узнаваемыми жизненными поступками. Философские частушки сменяются едкими остротами, дикари-людоеды наблюдают за запуском ракеты, седобородые академики поют куплеты и пляшут. Эксцентрические трюки соседствуют с реалистическим повествованием. Эта фантасмагория, нагромождение довольно-таки разнородных элементов образовали замысловатую форму кинорассказа.

В тогдашнем обществе шла борьба творческого и консервативного духа. Чтобы взглянуть свежими глазами на жизнь, где переплеталось хорошее и дурное, важное и случайное, требовался герой с совершенно детским, непосредственным, наивным восприятием. Мы не стали извлекать идеального героя из реально существующей среды и прибегли к фантастике, к вымыслу — привели в Москву Чудака, «человека ниоткуда», из выдуманного племени тапи»[9].

Кадр из фильма «Человек ниоткуда»

В картине присутствовала критическая составляющая, к тому же он был необычным для традиционного советского кинематографа, а значит, проблемы с чиновниками были неизбежны. Оригинальность сюжета насторожила тех, от кого зависел выпуск ленты в прокат. Картина была на экранах всего 3—4 дня.

Вкратце сюжет картины таков. На Памир направилась антропологическая экспедиция под началом ретрограда Крохалева. Его антагонист, молодой ученый Поражаев, уверен в существовании племени тапи — снежных людей. Крохалев не верит в фантазии Поражаева и не дает ему отправиться на поиски племени. Во время спора с начальником Крохалев, шагнув назад, скатывается с огромного склона и ударяется головой о камень. Очнулся он среди своих любимых тапи, которые уже подготовили сковородку, на которой собирались его поджарить и съесть. Предводитель племени сильно похож на Крохалева и часто использует его любимую фразу: «Дайте мне жить спокойно». Вместе с другим дикарем Поражаева привязали к скале. Его судили как чужеземца, нарушившего покой племени. Его товарищ по несчастью совершил множество преступлений. Его обвиняли в том, что «...мы белыми стихами говорим, а он, гордец, употребляет рифму». В списке прегрешений соплеменника по имени Чудак и такое: он «...не ел друзей, как будто он не знал, что друга съесть особенно приятно!»

Внезапно Поражаев вспомнил, что в этом горном районе должен пролететь спутник. Ученый сообщает дикарям, что если его не освободят, он нашлет на племя звезду. Он взма-

хивает рукой — и в небе пролетел яркий космический сна-
ряд. Людоеды попадали на колени и освободили пленников.
Освободившись из плена, Поражаев забирал дикаря в Москву, в XX век.

В Москве Чудак становится начальником спортивной
организации. Поражаев спрашивал: «Зачем ты пошел туда?
Как это случилось?» Чудак отвечает: «Я думал, что если стану начальником, то буду человеком». Поражаев ему советует:
«Впредь изволь поступать наоборот: сначала стань человеком, а потом уж будь начальником».

В Москве Чудак влюблялся в молодую женщину, принимал участие в забеге и ставил рекорд на стадионе. В театре,
во время спектакля, он гнался за отрицательным персона-
жем, которого собирался съесть. Ему по вкусу только плохие
люди. На ученом совете, куда Поражаев привел Чудака, он
чуть не съел Крохалева. Основной комедийный эффект по-
рождал контраст между цивилизованным миром и наивным
Чудаком.

В конце фильма Поражаева отправляли в космическом
корабле на далекую планету исследовать неизвестную ци-
вилизацию (фильм был снят еще до полета Гагарина). Чудак
проникал в ракету зайцем. Поражаев, пытаясь оставить своего друга на Земле, хотел выпихнуть его в иллюминатор и вы-
пал сам вместе с ним. Приземлились они в горах, где жили
соплеменники Чудака. Чудак, попрощавшись с Поражаевым,
возвращался в свое племя, чтобы «научить их стать людьми». Сам Рязанов определил жанр фильма как «комическую
ненаучную фантастику».

Рязанов сначала предложил роль Чудака Игорю Ильинскому. Но в сценарии было много сцен с бегом, прыжками, лазанием по горам, что подразумевало хорошую физическую форму. И хотя Ильинский был крепок для своих лет, но все же быстро стало ясно, что эта роль — для молодого человека. Для трюков хотели пригласить дублера.

«У Игоря Владимировича имелись кое-какие претензии к самому сценарию, но мы с Зориным обещали переработать сцены, вызывающие его тревогу. В общем, я отмел все возражения актера и уломал его. Я очень любил Ильинского и был уверен, что вместе мы преодолеем все. За спиной маячила недавно законченная и прошедшая с успехом «Карнавальная ночь».

Начались съемки. Они шли туго, со скрипом. Я не мог найти стилистику картины, степень ее условности. Кроме того, постепенно выяснилось, что интуиция не подвела Ильинского. Наивность, детскость, непосредственность Чудака получались у актера прекрасно сыгранными, но явно противоречили его психофизической природе и возрасту. Оказалась также непосильной и тяжелейшей физическая нагрузка. Когда же трюки вместо артиста исполнял дублер, становилось сразу ясно, что их делает каскадер, а не сам исполнитель. Все это Ильинский понял гораздо раньше, чем я. Он сказал мне, что не чувствует себя вправе играть эту роль и отказывается. Постепенно я и сам пришел к этому же выводу и согласился со своим любимым артистом.

Роль Чудака в фильме «Человек ниоткуда» сыграл блистательный Сергей Юрский

Ошибка была, конечно, обоюдной, но главная доля вины лежала на мне. Именно я породил эту идею — пригласить Игоря Владимировича. Я безгранично верил в его возможности, но не учел ни возраста, ни индивидуальности актера и недостаточно трезво оценил противопоказания. Режиссерская напористость на этот раз повредила мне. Мы расстались, не испортив ни на йоту наших добрых отношений...»[10]

Главного героя фильма по кличке «Чудак» сыграл Сергей Юрский.

В «Человеке ниоткуда» широко использовался «юмор абсурда». Нелегко было найти и манеру актерской игры. Актеров тянуло на театральность, высокопарность, а природе кинематографа это противопоказано.

Премьера состоялась в Доме кино. Критики отнеслись к фильму доброжелательно — в нем было много нового и необычного. Но рядовой зритель растерялся. Мнения разделились от полного неприятия до горячего одобрения. Публика оказалась неподготовленной к восприятию. На заводах, в научно-исследовательских институтах, на различных предприятиях создатели фильма проводили показы и обсуждения. Массовый выпуск был намечен на осень 1961 года.

22 июня 1961 года в газете «Советская культура» под рубрикой «Письма зрителей» напечатали разгромную статью о «Человеке ниоткуда». Называлась она «Странно».

«В фильме "Человек ниоткуда" есть некоторые интересные, занимательные сцены, смешные эпизоды. Есть и краси-

вые виды Москвы. Но для большого фильма этого мало. Нужны мысли, нужна четкая и определенная идейная концепция, ясная философская позиция авторов, но именно этого не хватает в фильме. Ибо "философия", заключенная в сценарии Л. Зорина, — это либо брюзжание, слегка подкрашенное иронией, либо двусмысленные (в устах людоеда) и невысокого полета афоризмы, вроде того, что нет ничего приятнее, чем съесть своего ближнего. Попытки же уйти в область чистой эксцентрики и гротеска приводят лишь к бессмысленному трюкачеству и погрешностям против художественности. В таком, я бы сказал, балаганном стиле сделаны заключительные эпизоды картины — космический полет..."

Автором, как выяснилось впоследствии, оказался заведующий отделом кино газеты «Советская культура» кинокритик Владимир Шалуновский.

«...Я был поражен. Полтора месяца назад я виделся с ним во Франции, в городе Канны. Мы прикатили туда на два дня в составе большой туристической группы, собранной из кинематографистов, а Шалуновский был откомандирован газетой на кинофестиваль. И там, при встрече, он пел дифирамбы нашей ленте, говорил, что именно «Человек ниоткуда» надо было послать на Каннский фестиваль, а не тот, набивший оскомину «железобетон», который никто не хочет смотреть, и т. п. За язык я его не тянул, а высокое мнение о фильме и слова его, разумеется, запомнил. Кто же равнодушно отмахнется от лестных слов!..»[11]

Тем не менее фильм выпустили на экраны. Копий картины было мало. Появились рецензии в разных газетах, в основном разгромные. «Очень странный фильм», «Зачем он к нам приходил?», «Оберегайте комиков от плохих сценариев», «Ниоткуда и никуда» — вот их заголовки. И Рязанов, и Зорин понимали, что не все в картине получилось, как задумано, но откровенные нападки, чаще всего не по делу, сильно их огорчали. В довершение всего, проезжая на работу мимо Арбатской площади, один из руководителей страны — секретарь ЦК КПСС М. А. Суслов, отвечавший за идеологию, увидел из окна машины афишу фильма «Человек ниоткуда», где был изображен лохматый дикарь, на фасаде кинотеатра «Художественный». Он уже посмотрел картину и был резко отрицательного мнения о ней. Фильм убрали с экрана. М. А. Суслов на очередном съезде сказал о фильме: «К сожалению, нередко еще появляются у нас бессодержательные и никчемные книжки, безыдейные и малохудожественные картины и фильмы, которые не отвечают высокому призванию советского искусства. А на их выпуск в свет расходуются большие государственные средства. Хотя некоторые из этих произведений появляются под таинственным названием, как "Человек ниоткуда". Однако в идейном и художественном отношении этот фильм явно не оттуда... Не пора ли прекратить субсидирование брака в области искусства?».

После этого «Человека ниоткуда» больше не показывали. Через несколько дней на концерте, посвященном закрытию съезда, два эстрадных куплетиста Рудаков и Нечаев уже пели злободневную частушку: «На Мосфильме вышло чудо с

Эльдар Рязанов на съемках

"Человеком ниоткуда". Посмотрел я это чудо — год в кино ходить не буду...»

И только в 1988 году Госкино СССР и конфликтная комиссия Союза кинематографистов СССР приняли решение о повторном выпуске «Человека ниоткуда» на экран. Через 28 лет несколько десятков копий картины появились в кинотеатрах.

> «...Зритель никак не мог понять, за что же эту невинную, чистую и, по нынешним меркам, слишком советскую ленту гноили столько лет «на полке». Любители смогли увидеть актерские дебюты в кино Сергея Юрского и Анатолия Папанова. Анатолий Дмитриевич выхода ленты так и не дождался. Господи! Между созданием картины и ее ущербной, запоздалой встречей с публикой, ибо фильмы надо смотреть тогда, когда они сделаны, прошла, по сути, вся жизнь!»[12]

А Рязанов после «Человека ниоткуда» впервые оказался в немилости у чиновников от культуры.

«Гусарская баллада»

Если бы не покровительство Пырьева, последствия «Человека ниоткуда» могли бы стать более плачевными. Но недовольство чиновников постепенно сходило на нет, и история с неудачным фильмом стала забываться. И Рязанов решил снять патриотическое кино — но такое, чтобы не пришлось

кривить душой, на хорошей литературной основе. И тут он вспомнил о пьесе А. К. Гладкова «Давным-давно».

> *«Мне показалось, что, экранизируя пьесу Гладкова, я смогу убить двух зайцев, соединить два желания, как правило, несовместимых. Первое, я не покривлю душой, — пьеса мне очень нравилась, — так что насилия над собой делать не придется. И кроме того, патриотическая вещь Гладкова даст возможность заверить незримую ощетинившуюся силу в моей лояльности и идейной чистоте. Случай, как видите, подвернулся идеальный, так как ни о каком компромиссе речи не было»*[13].

Сюжет пьесы таков. Летом 1812 года в поместье отставного майора Азарова приезжает гусарский поручик Дмитрий Ржевский. Он заочно помолвлен с племянницей майора Шурочкой и представляет ее себе жеманной модницей. Но Шурочку воспитали мужчины-военные, дядя-майор и его денщик. Она прекрасно ездит верхом, умеет фехтовать. Чтобы показать дяде маскарадный костюм для предстоящего бала, она выбегает в сад, одетая корнетом, и сталкивается с будущим женихом. Ржевский принимает Шурочку за родственника своей невесты и пытается выяснить, насколько та глупа и жеманна. Такое предвзятое отношение возмущает девушку, и она решает ему отомстить. При их встрече Шурочка вовсю и с явным удовольствием играет роль недалекой девицы, голова которой забита модными романами, вышиванием и мечтами об «идеальной любви». Ржевский в ужасе выбегает вы-

бежать из комнаты. Но Шурочке понравился красавец-поручик. И тут начинается война с Наполеоном.

Объявление о начале Отечественной войны приходит в разгар бала. Дядя Шурочки майор Азаров дает распоряжение прекратить праздник. Гости разъезжаются. Мужчины готовятся выехать на передовую, женщины обсуждают, чем смогут помочь фронту. Шурочка решает бежать из дома в мундире корнета, чтобы с оружием в руках защищать свою Родину. Дядька Иван соглашается быть ее ординарцем.

На следующее утро, проезжая через поле, Шурочка находит тяжелораненого курьера и берется доставить его пакет по назначению. Случайно она натыкается на французов, которые бросаются в погоню. Отбиться от неприятеля ей помогают русские войска. Привезшую важный пакет Шурочку под именем корнета Азарова принимают в дивизию и определяют в штаб корпуса.

Проходит полгода. Случайно Шурочка встречает Ржевского: она привезла пакет для командира партизанского отряда, где воюет Ржевский. Гусары дружески приветствуют молодого корнета и приглашают отужинать. За столом «корнет» передает поручику «привет от кузины». На расспросы других гусар поручик начинает рассказывать байку о том, как уродливая племянница майора, на которой его хотят женить против его воли, влюбилась в него по уши с первого взгляда. На попытки Шурочки возразить, что «кузина», конечно глупа, но вполне милая девушка, Ржевский горячо возражает, что корнет совсем не разбирается в женщинах. Ржевский и «Азаров» заключают пари: если поручик спасет от какой-

Кадр из фильма «Гусарская баллада»

либо опасности глупую модницу, какой он выставил кузину Азарова, то он на ней женится. Застолье прерывается известием о появлении французского обоза. Партизаны захватывают его и в одной из карет обнаруживают певицу-француженку Луизу Жермон. Когда-то между Жермон и кавалергардом Пелымовым из их отряда был роман, но потом влюбленные поссорились. Ржевский пытается понравиться Луизе и приносит ей живые цветы, невесть каким образом достав их среди зимнего леса. Однако Луиза отдает цветок «тому, кто мне милей всех нынче» —молоденькому корнету Азарову. Между Шурочкой и Ржевским вспыхивает ссора, переходящая в дуэль. Лишь появление командира отряда Давыда Васильева предотвращает стычку. Командир сердито отчитывает и Шурочку и Ржевского.

Возвращаясь в штаб, Шурочка и Иван видят, как французы захватывают в плен русского генерала. Вдвоем они отбивают его и доставляют в штаб. На ступеньках штаба девушка сталкивается с графом Нуриным, их соседом, который в удивлении спешит к Кутузову с сообщением, что корнет Азаров на самом деле — женщина. Вызвав Азарова и узнав правду, фельдмаршал возмущен до крайности: «Чтоб баб — в солдаты? Без такой подмоги мы перешибли Бонапарту ноги, и выгоним его с Руси без баб!» На все просьбы оставить ее в войсках Шурочка получает приказ сию же минуту отправляться домой. Не помогают даже слезы. Лишь появление императорского адъютанта Балмашова прерывает этот разнос. Балмашов рассказывает, как на него напали французы, и быть бы ему в плену, если бы не молоденький корнет, ко-

торый помог ему, так и не назвав себя. Кутузов говорит, что это истинный герой, достойный ордена: «Вот из таких ребят героев делают Отечества мучения. Да, Русь. По разуменью моему, крест следует за подвиг сей ему». Шурочка обиженно шмыгает в углу носом. Тут ее замечает Балмашов и признает в корнете своего спасителя. Кутузову не остается ничего другого, как наградить лихую девицу. После ухода адъютанта он позволяет ей остаться, присваивает ей чин корнета официально и разрешает перейти в партизанский отряд Денисова.

После долгих приключений и едва не состоявшейся дуэли тайна Шурочки наконец раскрывается. Ржевский влюбляется в нее, и все кончается хорошо.

«В 1961 году весной я перечитал пьесу Александра Гладкова «Давным-давно». Озорная, написанная звонкими, яркими стихами, она рассказывала о смелых, лихих людях, которые весело дерутся, горячо влюбляются, бескорыстно дружат, готовы прийти на помощь другу, о людях, которые ценят шутку, застолье и вообще любят жизнь. Мне захотелось снять такой фильм. И повод подвернулся удобный: через полтора года исполнялось сто пятьдесят лет со дня Бородинской битвы»[14].

На все роли подбирал комедийных актеров. На роль Кутузова он пригласил Игоря Ильинского. Но сначала Ильинский наотрез отказался играть роль Кутузова. Она была маленькой, эпизодической. К тому же по возрасту он был моложе, чем Кутузов в 1812 году. Ильинский боялся, что ему

придется изображать старика, и это будет выглядеть неестественно. Но Рязанов не сомневался: играть Кутузова должен только Ильинский, и настоял на своем. Не обошлось без последствий: министр культуры Фурцева была возмущена тем, что великого полководца играет комик. Она боялась, что зритель будет встречать его появление хохотом.

Рязанов уже готовился к худшему, но тут помог случай: в редакции «Известий», где устроили предварительный показ фильма, работал редактором Алексей Аджубей, зять Хрущева. Он увидел картину, и она ему понравилась.

После просмотра в «Неделе», субботнем приложении «Известий», появилась крошечная хвалебная рецензия Нателлы Лордкипанидзе. Она похвалила замечательную игру Игоря Ильинского. Уже через день на кинотеатре «Россия» висели огромные рекламные щиты, возвещающие о премьере фильма, которая состоялась 7 сентября, в день 150-й годовщины Бородинской битвы.

Этот фильм тоже не был простым. Персонажи изъяснялись стихами, а иногда начинали петь. Казалось бы, в таких случаях нужно было снимать пьесу как театральную постановку. Но Рязанов не искал легких путей. Он признавался:

«…Осуществлять картину в бутафорских декорациях как очередной фильм-спектакль, где станет выпирать декламационная (стихи!) манера игры исполнителей, я совершенно не желал. Мне хотелось снять именно фильм, динамическое зрелище со стремительным развитием действия, натурными сценами, батальными эпизо-

Роль Кутузова в фильме «Гусарская баллада»
сыграл Игорь Ильинский

дами. Однако при этом хотелось сохранить песни Тихона Хренникова, ставшие уже классическими.

...Поскольку рифмованный диалог в «Давным-давно» разговорен, лишен красивостей, наполнен жаргонными словечками, я надеялся, что зритель быстро привыкнет к нему и перестанет замечать, что герои общаются не «как в жизни».

Когда же я увидел на гравюрах костюмы той эпохи, они показались мне очень странными, невероятно далекими от нашего времени, от современной моды. Люди, выряженные в подобные костюмы, имели право изъясняться стихами, петь, танцевать. Я эти наряды воспринял, как оперные, хотя они были когда-то срисованы с натуры художниками тех далеких славных лет. Короче говоря, условность в нашей комедии несли не только стихи и песни, но и костюмы. А также и трюки. Чтобы придать картине дополнительную занимательность и лихость, я хотел ввести в нее помимо кавалерийских погонь, фехтовальных боев, артиллерийских и ружейных баталий еще и акробатические трюки.

...Размышляя, к примеру, о мере достоверности в показе эпохи, я пришел к выводу, что создавать на экране музей старинной мебели, одежды, оружия, усов и бакенбард мы не будем. Главное — найти способ верно передать сам дух времени. Плохо, когда режиссер ничего не ведает об эпохе, о которой рассказывает зрителю. Но бывает и так: досконально зная эпоху, режиссер начинает любоваться

предметами быта, реквизита, костюмами и фильм становится своеобразным справочником или каталогом».

Жанр «Гусарской баллады» виделся Рязанову как героическая музыкальная комедия с элементами вестерна. Поручика Ржевского и Шурочку Азарову играли прекрасные актеры Юрий Яковлев и Лариса Голубкина. Фильм, по воспоминаниям Рязанова, снимался на одном дыхании, несмотря на трудности с зимней погодой, тяжелыми батальными сценами, физической нагрузкой актеров. Чтобы кони могли проскакать по снегу, бульдозер расчищал для них дорогу. Кареты ломались, старинные ружья и пистолеты часто давали осечки, портя пленку. Некоторые батальные сцены приходилось переснимать много раз.

Незаметно пришла весна. Сугробы таяли, приходилось забираться в лес, чтобы доснять зимние сцены, а потом и вовсе имитировать его ватой, обсыпанной нафталином, как в сцене драки в усадьбе Азаровых.

Семья режиссера тоже присутствовала на съемках. По словам дочери Рязанова Ольги, когда Рязанов работал над «Гусарской балладой», он снял дом неподалеку от площадки. Оля с удовольствием проводила там летние каникулы. Общалась с замечательными актерами, которые то и дело собирались после очередной смены у них. Глядя, как лихо взрослые выпивают, 12-летняя девочка однажды набралась смелости и попросила родителя дать ей попробовать крепкого напитка. Эльдар Александрович улыбнулся и... наполнил фужер со словами:

— Уж лучше пусть тут выпьет в хорошей компании, чем неизвестно с кем в подворотне.

Фильм имел огромный успех, а песни из него распевали на каждом углу.

«Дайте жалобную книгу»

Вплоть до 1960-х годов на экранах СССР демонстрировались комедии, далекие от реальной жизни. Персонажи были ходульными, юмор — натужным. Зритель не узнавал окружающей действительности, не отождествлял героев с собой или своими знакомыми. Но вот кинематограф пополнился молодыми силами, и жанр начал постепенно меняться к лучшему.

«...Для меня отказ от приемов «ненатуральной» комедии начался с фильма «Дайте жалобную книгу» (1965).

Сценарий так и просился на экран в цветном, музыкальном воплощении, с героями в ярких, нарядных костюмах, снятыми исключительно в солнечную погоду. Я начал с того, что отринул цвет. Это был мой первый черно-белый художественный фильм. Я стал пытаться переломить условность ситуаций и характеров максимально правдивой съемкой и достоверной, без комикования игрой актеров. Стремился создать на основе искусственно сконструированного сценария правдивую комедию.

Кадр из фильма «Дайте жалобную книгу»

Мы отказались от съемки декораций, построенных на киностудии. Вместе с молодыми операторами Анатолием Мукасеем и Владимиром Нахабцевым и художником Владимиром Каплуновским я снимал картину только в подлинных интерьерах и на натуре. За окнами кипела настоящая, неорганизованная жизнь. При съемке уличных эпизодов применялась скрытая камера, то есть среди ничего не подозревавшей толпы артисты играли свои сцены, а аппарат фиксировал все это на пленку. В основном я привлек актеров, которых можно было бы скорее назвать драматическими, нежели комедийными. То есть, создавая «Дайте жалобную книгу», я искал для себя иные, чем раньше, формы выражения смешного на экране»[15].

Впоследствии Рязанов вспоминал, что в фильме не все получилось: сценарий был старомодным, новая режиссерская манера сочеталась с прежними режиссерскими приемами, естественные эпизоды чередовались откровенно условными. Он не считал этот фильм удачным, но и не стыдился его. В чем-то «Дайте жалобную книгу» был переходом от традиционной комедии к трагикомедии в рязановских картинах.

В Москве работает ресторан «Одуванчик», который пользуется у посетителей дурной славой. Персонал хамит клиентам, кухня отвратительна, жалобную книгу невозможно выпросить. Но однажды в ресторан пришел журналист Никитин с друзьями. Столкнувшись с ужасным обслуживанием и по недоразумению попав в милицию, он пишет фельетон об этом ресторане. Статья получает серьезный общественный резонанс.

Впоследствии Никитин влюбляется в директора этого ресторана — милую молодую женщину, Татьяну Александровну Шумову, и помогает ей переоборудовать старомодный ресторан в современное молодежное кафе. В итоге, пройдя все перипетии бюрократизма, они достигают своей цели.

В чем-то этот фильм неуловимо перекликается с «Вокзалом для двоих»...

ВРЕМЯ ТРАГИКОМЕДИЙ

«Берегись автомобиля»

После «Жалобной книги» Эльдар Рязанов приступил к давнему замыслу — фильму «Берегись автомобиля».

В 1964 году журнал «Молодая гвардия» напечатал повесть «Берегись автомобиля». Отзывы о ней были благожелательные, и авторы — Эмиль Брагинский и Эльдар Рязанов — решили экранизировать сюжет. В роли Деточкина, главного героя, они изначально видели Юрия Никулина. Было принято решение запустить картину в производство, и тут выяснилось, что Юрий Никулин не может сниматься — он уезжает за границу на длительные гастроли. Нужно было начинать съемки, и тут все загорелись идеей, что главную роль должен исполнить Смоктуновский. К тому времени он уже успел сняться в знаменитом «Гамлете».

Сценарий и роль Смоктуновскому понравились. Но он был занят на съемках в фильмах «На одной планете» и «Первый посетитель», в которых играл не кого-нибудь, а Ленина. Работа занимала его целиком, на один только сложный грим уходило около четырех часов, и около 8 часов шли съемки.

Кадр из фильма «Берегись автомобиля»

К выходным он так уставал, что ни о каких других съемках не могло быть и речи.

Если гора не идет к Магомету, то Магомет идет к горе. Рязанов так и поступил — собрал съемочную группу и вместе с ней выехал в Ленинград, чтобы снять кинопробы Смоктуновского там. В Ленинграде провели несколько репетиций, и группа поняла, что Деточкин будто специально написан под Смоктуновского.

Группа вернулись в Москву и приступила к поиску других актеров. Но неожиданно из Ленинграда пришла телеграмма: «Сниматься не могу, врачи настаивают на длительном отдыхе. Пожалуйста, сохраните желание работать вместе в другом фильме, в будущем. Желаю успеха, с уважением. Смоктуновский». После вполне понятной паники начали искать другого исполнителя. Пробовали симпатягу Леонида Куравлева, но он показался недостаточно странным для роли, без сумасшедшинки. Сделали кинопробы с Олегом Ефремовым — перед зрителями предстал волк в овечьей шкуре. Стало ясно — Ефремов не Деточкин, а следователь Максим Подберезовиков. Ефремов охотно согласился, хотя, по словам Рязанова, очень хотел сыграть главную роль.

Но что делать с главным героем? И тут Рязанов решился на отчаянный шаг. Он сел в поезд и отправился в Ленинград уламывать Смоктуновского.

«...Мне сказали, что Иннокентий Михайлович болен и живет на даче, в ста километрах от города.

На всякий случай еще в Москве я запасся рисуночком, как проехать к нему на дачу. Меня им снабдил Георгий Жженов, который дружил со Смоктуновским еще со времен их совместной ссылки. И вот, взяв такси, я отправился в сторону Финляндии. После долгих блужданий по проселочным дорогам, где машина увязала в грязи, я подъехал к дачному поселку, и какой-то парнишка указал на дом Смоктуновского.

Когда я вошел, Иннокентий Михайлович спал. Шум разбудил его. Он проснулся — в проеме дверей стоял толстый человек в плаще, с которого стекала вода. Меньше всего он ожидал увидеть в этот момент у себя в доме именно меня. Он не поверил своим глазам, но это не было кошмарным сном, а, как он потом сам говорил, оказалось кошмарной действительностью.

На Смоктуновского произвело лестное впечатление, что режиссер приехал так далеко, в скверную погоду и нашел его в этом заброшенном поселке. Но главное — ему нравилась роль Деточкина, ему действительно хотелось ее сыграть. Однако чувствовал он себя больным и снова долго отказывался. Я уговаривал как мог. Я уверял, что в случае необходимости мы перенесем действие фильма из Москвы в Ленинград.

...Вернулась из магазина его жена и, увидев меня, сразу поняла, зачем я пожаловал. Она не сказала ни одного приветливого слова. Она молча жарила яичницу — нужно было накормить непрошеного гостя, — но всем своим видом выказывала явно неодобрительное ко мне отношение. Хозяйка не вмешивалась в наш разговор. Она лишь изредка бросала на мужа презрительные взгляды — они были достаточно красноречивы.

То, что меня накормили яичницей, оказалось, конечно, ошибкой со стороны хозяйки дома. Я подкрепился и решил про себя, что не уйду, пока не вырву согласия. Отступать мне было некуда. Наконец под моим напором Смоктуновский сдался и, тяжело вздохнув, проговорил:

— Ну, ладно, хорошо, вот где-то в конце августа я кончу эту картину. Мне нужно несколько дней, чтобы прийти в себя, и я приеду.

Я сказал:

— Спасибо! Я очень рад. Но после твоей телеграммы с отказом мне никто не поверит, что ты согласен. Телеграмма — это документ, и я должен противопоставить ей другой документ. Я должен показать дирекции студии бумагу. Поэтому пиши расписку с обещанием, что сыграешь Деточкина.

Это был беспрецедентный случай — режиссер взял с актера расписку, что он будет сниматься!

Здесь тоже можно поразмышлять на морально-этическую тему: имел ли я право оказывать такое давление на нездорового человека. Может, стоило пожалеть Смоктуновского и отступиться. А вместо него сыграл бы кто-нибудь другой, похуже. Где тут правда, не знаю, но вести себя иначе я уже не мог...»[16]

На съемках фильма
«Ирония судьбы, или С легким паром»

Начиная со съемок «Берегись автомобиля» Рязанов работал над сценариями своих фильмов вместе с Эмилем Брагинским.

Эммануэль Вениаминович Брагинский (19.11.1921 — 26.05.1998) дебютировал в 1955 году как сценарист фильмом «В квадрате 45». После «Берегись автомобиля» они с Рязановым работали над «Зигзагом удачи» и «Стариками-разбойниками». Потом были «Невероятные приключения итальянцев в России», «Ирония судьбы, или С легким паром!», «Служебный роман» и «Гараж»...

В 1930 году девятилетний Эмиль Брагинский остался без матери. Отец жил в другом городе с другой женой. Старшая сестра Анна взяла Эмиля к себе в маленькую комнату в коммуналке, где обитали 33 жильца. Эмиль много читал и рано начал писать — стихи, рассказы, повести, даже пьесу.

Вскоре он поступил в медицинский институт, но каждую свободную минуту посвящает сочинительству. Помимо этого, он хорошо рисует, и вскоре понимает, что выбрал не ту профессию. Неизвестно, стал ли Брагинский, несмотря на другие склонности, медиком, но в его жизнь вмешалась война. Студента-медика отправили рыть окопы и строить оборонительные сооружения под городом Рославлем Смоленской области. Там он получил тяжелую травму и после госпиталя был отправлен в эвакуацию в Сталинабад (Душанбе). Там он продолжил учебу, подрабатывая санитарным врачом. Очередное увлечение — шахматы — помогают ему справиться с тяжелыми условиями жизни. Он дает сеансы одновременной игры в госпиталях, студенческих общежитиях, боль-

ницах. А в 1941 году женится на школьной соученице Ирме — по большой и взаимной любви.

В газету «Советская Латвия» Брагинский послал свой первый репортаж о Всесоюзном шахматном турнире. Неожиданно его зачислили в штат газеты — корреспондентом по московскому региону. Спортивный обозреватель Эмиль Брагинский пишет о футболе и легкой атлетике, сотрудничает со знаменитым футбольным комментатором тех лет Вадимом Синявским. Помимо спорта, Брагинский пишет в своей газете на самые разные темы, в том числе о живописи, старой и современной. Репортаж о реставрационных работах в Троице-Сергиевой лавре Эмиль относит в «Огонек», и вскоре его принимают туда репортером. Как и кинодокументалист Рязанов, Брагинский ездит на заводы и фабрики, сочиняет красочные репортажи об открытии провинциальных музеев, берет интервью у государственных деятелей и очерки о любимых художниках.

По собственной инициативе Брагинский сочиняет сценарий фильма о русском художнике Василии Сурикове. В Центральной сценарной студии его одобрили. Поставил картину по этому сценарию режиссер Анатолий Рыбаков в 1959 году. А в 1951 году Брагинский уходит из «Огонька» — писать сценарии ему больше по душе. На первых порах ему доверяют только инсценировки: «Сын рыбака» по Виллису Лацису, «Мексиканец» по Джеку Лондону. Потом была пьеса для театра «Раскрытое окно», поставленная режиссером А. Ароновым в театре Станиславского. Изначально пьеса была написана как драма о молодых героях, но великий М. М. Яншин,

руководитель театра, сделал из нее комедию, которая очень полюбилась зрителям. Играли в ней молодые Евгений Урбанский и Ольга Бган, Евгений Леонов и Майя Менглет. А в Ленинграде в театре Комиссаржевской главную роль в пьесе играла молодая Алиса Фрейндлих.

Творческий союз двух талантов затянулся на четверть века, соединив двух разных людей: темпераментного шумного Эльдара Рязанова и тихого задушевного Эмиля Брагинского.

Соавторы впоследствии даже написали свою юмористическую автобиографию: «Когда Брагинский и Рязанов встретились, то установили, что они совершенно непохожи друг на друга — ни внешне, ни внутренне. Это их объединило, и они написали сценарий, а потом и повесть "Берегись автомобиля!". Во время работы они с удивлением обнаружили, что отлично ладят друг с другом, и решили продолжать в том же духе. Так появился некто с двойной фамилией Брагинский-Рязанов...»

Соавторы постановили, что любой из них может наложить вето на ту или иную мысль, поворот сюжета или просто слово. Встречались они каждый день. Один заваливался на диван и сочинял, а другой безропотно записывал. Этот метод назывался «Правилом дивана». Во время творчества домочадцы не имели права входить в рабочую комнату.

И вот первый совместный сценарий «Берегись автомобиля» завершен. Редакторам Кинокомитета он не понравился. У них возник вопрос: зачем Деточкин ворует автомобили, если можно просто донести на их жуликов-владельцев в

Эмиль Брагинский и Эльдар Рязанов

ОБХСС? Положительный герой Деточкин или отрицательный? Непонятно, сажать его в тюрьму или наградить.

Сценарием были недовольны, но фильм все-таки был запущен в производство. Он изобиловал автомобильными трюками, для которых пригласили профессиональных каскадеров. Не обошлось и без происшествий.

Во время съемок «Берегись автомобиля» операторы Владимир Нахабцев и Анатолий Мукасей вместе с Рязановым ехали по Киевскому шоссе. За рулем «Волги» сидел каскадер Александр Микулин. На 44-м километре Киевского шоссе должны были снять трюк, в котором «Волга» Деточкина проскакивает под одним трубовозом, а преследующий его милицейский мотоцикл — под другим.

Вдруг впереди показался заказанный трубовоз, который спешил на съемку. Микулин внезапно заехал под трубовоз, шедший со скоростью примерно 50 километров в час. Водитель не подозревал, что «Волга» с четырьмя людьми находится у него под трубами. Между носом «Волги» и кабиной трубовоза расстояние было примерно полметра и полметра — сзади. Затормози трубовоз — и «Волга» неминуемо врезалась бы в его кабину. Проехав так несколько минут, каскадер благополучно вывел машину из-под прицепа, и все помчались дальше на съемку.

«Берегись автомобиля» считается одной из лучших картин, снятых Рязановым в то время. Кроме Смоктуновского, в нем снимались Евгений Евстигнеев, Анатолий Папанов, Андрей Миронов, Олег Ефремов, Ольга Аросева, Галина Волчек,

Донатас Банионис. Музыку к фильму написал прекрасный композитор Андрей Петров.

Фильм «Берегись автомобиля» подвел черту и под первым браком Рязанова. К тому времени они с Зоей Фоминой прожили почти четверть века, чуть-чуть не дотянув до серебряной свадьбы.

На съемочную площадку фильма «Берегись автомобиля» Эльдар, обычно строгий и собранный, приходил с улыбкой до ушей, глаза светились счастьем, с видом отрешенным и блаженным. В группе начали шептаться: «Эльдар Александрович влюбился. У него роман с редактором из объединения киноработников Ниной Скуйбиной». Вскоре роман Рязанова уже невозможно было скрыть. На съемочной площадке рядом с ним часто появлялась красивая брюнетка, к советам которой он внимательно прислушивался. Вечером они вдвоем садились в машину и оба при этом светились от радости.

— Встреча моей матери с Эльдаром Александровичем была для них счастьем, свалившимся с небес, — говорит сын Нины Скуйбиной, режиссер Николай Скуйбин. — Многие легендарные фильмы Рязанова, в первую очередь «Ирония судьбы», «Служебный роман», «Гараж», сняты им во многом благодаря его встрече с моей мамой. Да и другие фильмы, сделанные раньше, она тоже консультировала. Между ними возникло светлое, большое и страстное чувство, которое изменило жизнь обоих. Они заслужили счастье. Особенно выстрадала его моя мать, ведь она столько пережила до этого…[17]

Действительно, Нина поначалу боялась ответить на чувство Рязанова. До встречи с Эльдаром Александровичем она

пять лет жила одна и даже не помышляла о любви. Все дело в том, что в 1963 году ей пришлось похоронить мужа, известного в то время режиссера Владимира Скуйбина.

— Мои родители очень любили друг друга, — рассказывает Николай Владимирович. — Но такое горе навалилось на нашу семью... Мой папа — успешный режиссер: он снял фильмы «Жестокость», «Графские развалины», «Суд»... Когда ему было всего 27 лет, выяснилось, что у него очень редкая болезнь — атрофия мышц. Это когда мышцы постепенно теряют тонус, руки и ноги висят как плети, человек не может повернуть голову, у него нарушается речь... В общем, постепенно он превращается в парализованного. Медики до сих пор не знают, как лечить эту болезнь. Единственный, кому удалось выжить с подобным заболеванием — это знаменитый физик Стивен Хокинг. Но в шестидесятые годы в СССР врачи ничего не могли сделать. Мой отец терял силы, но продолжал бороться. Каждый день он поднимался, одевался, конечно, с помощью матери, и садился за стол работать. Все это давалось ему с огромным трудом. Чтобы перевернуть страницу книги, ему требовалось минуты две... На съемочной площадке мама была его переводчиком, поворачивала ему голову... Потом врачи сказали, что ее забота добавила отцу два года жизни...

Смерть мужа, которому едва исполнилось 32 года, стала ужасной трагедией для Нины. Их сыну Коле шел десятый год. Вдова решила посвятить себя целиком ребенку. Мысль о замужестве гнала из головы. Ей казалось, что, завязав отноше-

Съемочный процесс фильма «Берегись автомобиля»

ния с другим мужчиной, она предаст умершего мужа. Когда ей было уже почти сорок лет, в ее жизнь пришло новое чувство.

Дочь Ольга, которой тогда было четырнадцать лет, сильно переживала. Не хотела смириться с романом мужа и Зоя Фомина. Сначала Рязанов обещал им прекратить отношения с другой женщиной, но слова сдержать не смог. Несколько лет ему удавалось сохранять брак, но в конце концов он все же распался. В 1972 году Рязанов женился на Нине Скуйбиной. В том же году женился и сын Нины, Николай Скуйбин, так что взрослый сын лишь порадовался, что мама устроила личную жизнь.

«Зигзаг удачи»

В основу «Зигзага удачи» лег реальный случай, о котором Рязанову с Брагинским рассказал знакомый. Сборщик членских взносов тайно запускал руку в профсоюзную кассу и на эти деньги покупал облигации трехпроцентного выигрышного займа. Если облигации не выигрывали, он их продавал, а деньги приносил в районную профсоюзную кассу. Выигрыш он брал себе, а взносы членов профсоюза возвращал в целости и сохранности. В «Зигзаге удачи» интрига в том, что купленная облигация принесла выигрыш — десять тысяч рублей. Но куплена она на членские взносы всего коллектива фотоателье «Современник». Кому принадлежит выигрыш — покупателю облигации или всем пайщикам, внесшим членские

взносы? На этом и построены события в повести и фильме «Зигзаг удачи».

«Зигзаг удачи» рассказывал о том, как шальные деньги испортили хороших людей. Но работники фотоателье — не злодеи, а самые обычные люди, небогатые, несвободные, испытывающие нехватку всего, в особенности денег.

> «...Это потом мы твердо поняли, что бедность, дефицит, перебои со всем небходимым, нищенские пенсии озлобили людей, сделали нас хмурыми, желчными, неприветливыми, скандальными, угрюмыми. Наш национальный характер из-за социальных бед и несчастий изменился в худшую сторону.
>
> В «Зигзаге удачи» авторский голос говорил: «Давно известно, что деньги портят человека. Но отсутствие денег портит его еще больше!»...»[18]

Фотоателье «Современник» в провинциальном городе живет своими житейскими проблемами. Директор обеспокоен невыполнением плановых обязательств, некрасивая, засидевшаяся в девках сотрудница Алевтина (Валентина Талызина) мечтает выйти замуж, а фотограф Володя Орешников (Евгений Леонов) мечтает стать знаменитым фотохудожником. Именно он взял деньги из кассы взаимопомощи и купил счастливую облигацию, выигравшую 10 тысяч рублей.

На эти деньги он может купить камеру, о которой давно мечтал, и уехать со своей невестой, работницей сберкас-

сы Ольгой (Валентина Теличкина), в Москву. Деньги в кассе были общие, значит, полагают сослуживцы, и выигрыш надо делить. Выясняется, что не все регулярно вносили взносы, кто-то на этой почве требует исключения из числа участников дележа красавицы Лидии Сергеевны (Ирина Скобцева); на ее защиту встает Орешников; дело заканчивается скандалом, облигацию у Орешникова отбирают.

Володя ссорится с Ольгой, а от Лидии Сергеевны уходит ревнивый муж (Готлиб Ронинсон), о чем она не слишком сожалеет: Лидия Сергеевна влюбляется в Орешникова и готова выйти замуж за него.

И Володю, и Лидию Сергеевну сослуживцы исключают из кассы взаимопомощи; они получают в сберкассе у Ольги деньги по облигации, делят их без исключенных сослуживцев и с особенным воодушевлением встречают в фотоателье Новый год. В хорошем настроении они решают принять Орешникова и Лидию Сергеевну обратно, но тут появляются Дед Мороз со Снегурочкой и похищают портфель с деньгами. Похитителями оказываются Орешников и Лидия Сергеевна. Коллеги бросаются за ними в погоню, сообщают, что приняли их обратно, куранты бьют 12 раз, и все заканчивается миром. Несчастлива лишь Лидия Сергеевна, поскольку Орешников возвращается к своей Ольге. И как только в кассе взаимопомощи набирается нужная сумма, он вновь покупает новую облигацию выигрышного займа.

Комедия «Зигзаг удачи» стала первым фильмом, в котором снялся Георгий Бурков. До этого он ненадолго появлялся

«Зигзаг удачи». Афиша

в эпизоде в фильме М. Богина «Зося». Когда Рязанов впервые увидел Буркова, пришедшего на кинопробы, он тут же воскликнул: «У него идеальное лицо для роли спившегося русского интеллигента!» И в самом деле снял его в роли спившегося интеллигента.

После фильма за Бурковым определилось «алкоголическое» амплуа, из которого он не скоро выбрался. В «Зигзаге удачи» он играл ретушера, талантливого человека, который из-за любви к «зеленому змию» пропил дарование, одним словом, не состоялся. Но благодаря Буркову ретушер Петя светился добром, искренностью, отзывчивостью. Только его персонаж не утратил человеческих качеств, столкнувшись с возможностью внезапного обогащения.

«...В этой небольшой роли, с которой началось наше многолетнее содружество, полной мерой проявилось замечательное дарование актера. Прежде всего, невероятная, я бы сказал, из ряда вон выходящая естественность, органичность, искренность поведения в кадре. Природа наградила Георгия Ивановича чувством доброты, лукавством, обаянием»[19].

«Зигзаг удачи» встретил могучее сопротивление профсоюзов. Сначала картину заставляли бесконечно переделывать. Потом профсоюзные организации вмешались в дальнейшую судьбу фильма. Его показывали в окраинных кинотеатрах, почти без рекламы — выпустили вторым экраном.

«...Я долго не мог понять эту странную прокатную политику. Из чего она исходит? Из того, что на окраинах живут люди второго сорта, которых можно не принимать в расчет и показывать им идеологический брак? Или же, наоборот, население окраин настолько закалено в идейном отношении, что не поддается вредному, тлетворному влиянию сомнительных произведений?»[20]

«Сирано де Бержерак»: история неснятого фильма

После «Зигзага удачи» у Рязанова пропала охота снимать кино на злободневные темы. Он решил обратиться к французской классике — «Сирано де Бержераку» Эдмона Ростана. Запуска фильма в производство удалось добиться относительно легко. Набиравший силу талантливый Рязанов и представить не мог, во что это выльется.

Пьесу Ростана Эльдар очень любил и с юности знал ее наизусть почти всю. Но она существовала в нескольких переводах — Щепкиной-Куперник, Соловьева и Айхенвальда. Какой выбрать? Было решено совместить два перевода — Т. Л. Щепкиной-Куперник и Ю. Айхенвальда. Айхенвальду, кроме того, было поручено написать стихотворные соединительные стыки так, чтобы «швы» не чувствовались. Пьеса была сокращена так, чтобы не затягивать кинодействие.

Начались кинопробы, в которых участвовали Андрей Миронов, Михаил Волков, Сергей Юрский, Олег Ефремов,

Виктор Костецкий. Все играли хорошо, но интерес Рязанова к постановке «Сирано» вдруг начал слабеть.

«...В пьесе Ростана проходило, переплетаясь, два мотива: столкновение поэта с обществом и тема великой неразделенной любви. Так вот, если любовные перипетии как-то удавались актерам, то гражданская интонация звучала слабо, неубедительно, несовременно. А в 1969 году гражданские устремления еще волновали нашу интеллигенцию. Вскоре, в начале семидесятых, наступит общественная апатия — расправятся с «подписантами», вышлют за границу инакомыслящих, кое-кого попрячут по «психушкам», а кого-то засунут в лагеря. И общество успокоится, погрузится в спячку. Послушная часть «элиты» станет интересоваться только материальными благами: машинами, дачами, квартирами, мебелью, мехами и драгоценностями, поездками за рубеж...

Я стал размышлять о том, как сделать, чтобы гражданский запал, заложенный в пьесе, зазвучал современно, стал близок нынешним людям. Снимать вещь только о любви с притушенными гражданскими идеями мне не хотелось. И тут пришла мысль пригласить на главную роль поэта Евгения Евтушенко. Чтобы поэт XX века сыграл поэта XVII столетия. Идея показалась мне удачной еще и потому, что сам Евтушенко в тот период во многом совпадал с задиристым Сирано и несколько месяцев назад, в августе 1968 года, направил телеграмму в пра-

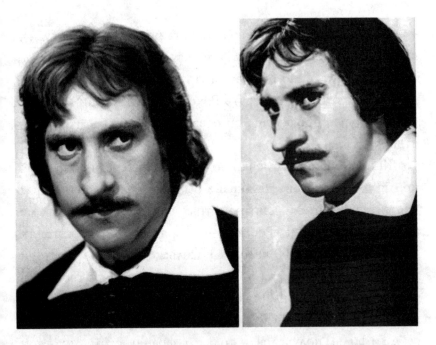

Фотопробы В. Высоцкого на роль Сирано де Бержерака

вительство с протестом против нашего вторжения в Чехословакию. Этого забыть ему не могли, поэт находился в опале»[21].

К предложению Рязанова сыграть роль Сирано Евтушенко отнесся с восторгом. Он отменил путешествие по Лене и принялся увлеченно репетировать с Людмилой Савельевой, которая должна была играть Роксану, брать уроки верховой езды... Новую профессию он осваивал с огромным удовольствием.

Кинопроба с Евтушенко получилась интересной, необычной и убедительной. На экране был настоящий поэт, нараспев читавший стихи. Сирано в трактовке Евтушенко был менее романтичен, чем у Ростана — он вряд ли стал бы разгонять напавших на него 100 человек у Нельской башни и постоянно участвовать в дуэлях по поводу и без. Это был серьезный Сирано, больше похожий на свой реальный протопит, чем герой Ростана. Фигура его была более трагической, чем в пьесе. Да и фильм получался не только о французском стихотворце XVII века, но и о судьбе современного российского поэта. Главный герой выглядел самобытным, уникальным, сложным.

Худсовет с пробами Евтушенко прошел прекрасно. Его единогласно утвердили. Группа готовилась к съемкам. Партнеры Евтушенко были тоже утверждены. Людмила Савельева — Роксана, Александр Ширвиндт собирался исполнить роль графа де Гиша. Евгений Киндинов должен был играть счастливого соперника Сирано Кристиана де Невильета, Валентин Гафт — капитана гвардейцев-гасконцев.

Таллин и Львов были выбраны для натурных съемок. Шились костюмы XVIII века, в механическом цехе изготовлялись секиры, алебарды, аркебузы, пушки, мортиры, приобретались старинные пистолеты. Часть конных войск после съемок фильма С. Бондарчука «Ватерлоо» в Мукачево должна была проследовать во Львов, к месту съемки. Композитор Андрей Петров уже написал марш на слова «Дорогу гвардейцам-гасконцам». В гримерном цехе делали нос Сирано. Евтушенко учился верховой езде, фехтованию и учил роль. Шел июль 1969 года.

И вдруг на студию пришла телефонограмма от В. Е. Баскакова, заместителя министра кинематографии: «Работа над фильмом "Сирано де Бержерак" с Евтушенко в главной роли невозможна. В случае замены исполнителя главной роли на любого другого актера производство можно продолжать. Если же режиссер будет упорствовать в своем желании снимать Евтушенко, фильм будет закрыт. Прошу дать ответ через двадцать четыре часа».

«...То, что при исполнении роли французского опального поэта советским опальным поэтом может получиться лента, которая расскажет не столько о Франции давних времен, сколько о современной России, что получится картина о взаимоотношениях власти с писателями, было понято руководством Кинокомитета сразу же. И именно то, что привлекало меня в постановке, напугало чиновников от кино.

Жесткость, за которой стояло сознание могучей силы, хладнокровие, бездушность, бесчеловечность потрясли меня. Двадцать четыре часа, данные на размышление, я провел как в скверном сне. Я советовался с друзьями, заглядывал в глубины собственной души, взвешивал, сопоставлял. И пришел к выводу: отступать мне некуда. Я не хочу снимать фильм без Евтушенко, ибо мне это неинтересно. Делать «очередную» экранизацию не имею права. Обратной дороги не было»[22].

Рязанов сообщил о своем решении киностудийному начальству. Он еще надеялся в глубине души, что картину не закроют — на подготовительные работы было уже истрачено 200 тысяч рублей. Но почти тут же Баскаков подписал приказ о прекращении работ и закрытии фильма «Сирано де Бержерак».

«...Еще вчера ни на что не хватало времени, меня рвали на части, я был нужен всем, меня осаждали вопросами, требовали решений тысячи дел, мелких и крупных, кружили вокруг меня. И вдруг возникла пустота. Моя персона никого больше не интересовала, все дела остановились, как по мановению волшебной палочки, обнаружилась уйма свободного времени, возникло ощущение невесомости, неуверенности, собственной ненужности. Меня как бы выбросили на ходу из поезда»[23].

Рязанов вместе с Евтушенко решили бороться. Они написали письма (каждый от себя) секретарю ЦК КПСС М. А.

«Сирано де Бержерак». Съемки 1987 года,
поселок Свирж на Львовщине

Суслову, идеологическому боссу партии, которого в народе за глаза называли «серым кардиналом». Евтушенко был хорошо знаком с одним из референтов Суслова, и тот обещал передать письма своему шефу в удобный момент, когда у него будет хорошее настроение. Но когда этот момент настал, и письма с утра легли на стол Суслова, случилось непредвиденное. Почти одновременно «серый кардинал» получил экстренное сообщение: писатель Анатолий Кузнецов, поехавший в Англию собирать материалы о Ленине для своей новой книги, попросил там политического убежища. Суслов решил, что писателям и поэтам доверять не следует в принципе, и письма остались без ответа.

Вскоре после этого Рязанов порвал мениск — коленную связку — и попал в Центральный институт травматологии. Пока он лежал в больнице после операции, умерла его мама, Софья Михайловна. Позже он вспоминал это время как страшный, мрачный период в жизни, из которого он долго выбирался. Но жизнь продолжалась...

«Старики-разбойники»

В картине «Старики-разбойники» осуществилась давняя мечта Рязанова — он наконец снял Юрия Никулина в главной роли. Партнером Никулина стал блистательный Евгений Евстигнеев.

Повесть «Старики-разбойники» начинается так: «Люди делятся на тех, кто доживает до пенсии, и на остальных...».

Рязанов с Брагинским придумали такой сюжет. Следователя Николая Сергеевича Мячикова (Юрий Никулин) хотят отправить на пенсию. Федяев (Георгий Бурков), начальник Мячикова, мотивирует это тем, что за последние два месяца тот не раскрыл ни одного преступления, хотя на самом деле причина в другом: «сверху» поступило указание освободить место следователя для блатного преемника (Андрей Миронов). В это же время собирается на пенсию и друг Мячикова — инженер Валентин Петрович Воробьев (Евгений Евстигнеев). Однако на прощальном собрании, тронутый речами коллег, Валентин Петрович вдруг принимает решение остаться на работе.

Не желая увольнения друга, Воробьев предлагает организовать «преступление века». Мячиков раскроет его, и начальству ничего не останется, как оставить его на работе. Для начала будущие пенсионеры похищают из музея картину Рембрандта. Однако план стариков полностью проваливается — никто не замечает пропажи бесценной картины, и ее приходится вернуть на место. Следующая идея Воробьева — ограбить свою соседку, инкассатора Анну Павловну (Ольга Аросева). Сговорившись с будущей потерпевшей, Воробьев собирается на дело, но внезапно старику становится плохо. Грабить идет сам Мячиков. Успешно отобрав сумку с деньгами и уйдя от преследования Анны Павловны и ее водителя, Мячиков прячется в подворотне и встречает там настоящего грабителя, который отбирает у него мешок с деньгами.

Мячиков в отчаянии: преступника не найти, а деньги возвращать надо. Честный следователь продает все свое имущество, но полную сумму собрать не удается. Анна Павловна, ничего не зная о настоящем ограблении, решает, что Мячиков

просто присвоил себе часть денег. Единственный, кто сразу понимает, что Мячиков попал в беду — его друг Воробьев. Он отдает незадавшемуся разбойнику все свои сбережения со словами: «Мы с тобой жили честно, и давай помрем честно». Федяев догадывается, что следователь решил вложить собственные деньги, лишь бы остаться на работе. Мячиков рассказывает начальнику, что ограбление устроил он сам, но Федяев ему все равно не верит. Тогда Николай Сергеевич сам выписывает постановление на собственный арест. В камере Николаю Сергеевичу является «почти вещий» сон, в котором все становится на свои места.

«Старики-разбойники» укрепили дружбу Рязанова с Мироновым и Бурковым. Добрые отношения окрепли и превратились в постоянные. Бурков играл нелепого прокурора Федяева, который постоянно появлялся в бинтах и повязках, ссылаясь на таинственную «бандитскую пулю». Миронову досталась эпизодическая роль протеже высокого начальства. К моменту, когда Рязанов начал съемки «Невероятных приключений итальянцев в России», Андрей Миронов уже был первоклассным мастером, которому по плечу любая роль.

Приключения итальянцев в России и русских в Италии

В 1973 году Рязанов снял комедию, наполненную аттракционами и трюками, из которых, собственно, и состоял фильм, — «Невероятные приключения итальянцев в России».

В картине «Старики-разбойники» осуществилась
давняя мечта Э. Рязанова — он наконец снял
Юрия Никулина в главной роли

Он решил не прибегать к комбинированным съемкам — трюки должны быть настоящими. Продюсировал фильм знаменитый итальянец Дино Де Лаурентис.

Вскоре после войны на советских экранах появились шедевры итальянского неореализма. Их герои боролись за кусок хлеба, за место под солнцем, за любовь.

> *«...Для меня неореализм стал откровением, открытием нового содержания в искусстве. Мне бесконечно нравились фильмы итальянских мастеров — они светились любовью к людям.*
>
> *Не скрою, мне и Эмилю Брагинскому хотелось поработать с итальянцами, кое-чему поучиться, набраться кое-какого опыта. И хотя нас никто об этом не просил, мы в семидесятом году сочинили заявку на сценарий комедийного фильма для совместной советско-итальянской постановки. Заявка называлась «Спагетти по-русски»»[24].*

На киностудии сюжет соавторов понравился, но в Кинокомитете его отвергли, решив, что итальянцы выведены слишком несимпатичными и жуликоватыми. На какое-то время Рязанов с Брагинским оставили этот замысел, но тут опять вмешался случай.

Фильм Сергея Бондарчука «Ватерлоо» снимался при содействии фирмы «Дино Де Лаурентис», и она задолжала «Мосфильму» большую сумму. Итальянский банк уже закрыл счет фильма «Ватерлоо», и долг могли вернуть, только затеяв другую совместную постановку. «Дино Де Лаурентис»

предложила сделать легкую недорогую комедию. И тогда на «Мосфильме» вспомнили о сценарии «Спагетти по-русски». Было решено снимать комедию совместно с фирмой «Дино Де Лаурентис».

Из Италии приехали два автора — Франко Кастеллано и Джузеппе Пиполо. Вместе с Брагинским и Рязановым они взялись дорабатывать сценарий.

«...Нам — Брагинскому и мне — хотелось сочинить такой сценарий, который продолжал бы традицию фильмов «Полицейские и воры» или «Берегись автомобиля». Мы мечтали, чтобы роль Джузеппе, многодетного плута, исполнил Альберто Сорди, а роль милиционера Васильева — Иннокентий Смоктуновский. Мы намеревались рассказать о двух героях, которые находятся на противоположных сторонах жизни: один — авантюрист, другой — страж закона, один — итальянец, другой — русский, рассказать, как после целого ряда приключений они постепенно становятся друзьями.

Однако нашим соавторам такая установка казалась устаревшей и сентиментальной. Им виделась история более жесткая и, в общем-то, лишенная какой бы то ни было социальной основы. Они хотели создать веселую коммерческую ленту, наполненную аттракционами и трюками»[25].

Итальянцы вскоре уехали, а Брагинский с Рязановым приступили к другому варианту. Через два месяца они при-

были в Рим на встречу с Дино Де Лаурентисом. И тут их ждало разочарование.

Дино де Лаурентис, прочитав сценарий, назвал его мурой и сказал, что итальянский зритель на такую галиматью не пойдет. Однако в нем фигурировал эпизод с живым львом, который ему понравился. Всесильный итальянский продюсер приказал Брагинскому и Рязанову переделать все, но включить в новый вариант сцены с живым львом.

Рязанов едва не отказался от съемок, но в римской гостинице увидел по телевизору фильм Кубрика «Этот безумный, безумный, безумный, безумный мир». Он уловил ритм и дух этого фильма и с азартом засел за новый сценарий, включив в него не только живого льва, но и посадку самолета на оживленное шоссе. В таком виде сценарий Дино де Лаурентису понравился.

Вкратце сюжет таков. В одной из больниц Рима на 93-м году жизни скончалась русская эмигрантка. Перед смертью она сообщила своей внучке Ольге, что все ее огромное состояние в 9 миллиардов итальянских лир спрятано в Ленинграде «под львом». В тайну оказалась посвящена не только Ольга, но и два санитара — Антонио и Джузеппе, больничный врач, пациент больницы со сломанной ногой и случайно узнавший о кладе мафиозо Розарио Агро, навещавший там беременную жену. Все они направляются в Ленинград в надежде отыскать сокровище. Но Ольга находится в лучшем положении: она знает дополнительную примету места, где спрятан клад. В самолете, летящем в Москву, вся «компания», неожиданно друг для друга, встречается. Между ними

Кадр из фильма
«Невероятные приключения итальянцев в России»

вспыхивает соперничество в духе фильма «Этот безумный, безумный, безумный мир».

В аэропорту итальянцев встречает некий Андрей — якобы потому, что Антонио, один из санитаров, оказался миллионным итальянским туристом, посетившим СССР, и Андрей будет его персональным гидом. На самом же деле Андрей работает в милиции.

После долгих приключений и трюков выясняется, что лев не каменный, как множество его собратьев в Ленинграде, а живой, и клад зарыт под его клеткой в зоопарке. Фильм, как и положено комедии, заканчивается хорошо: герои находят клад, получают свои 25 процентов (по советским законам), а Ольга, влюбившись в Андрея, остается жить в СССР.

Первый трюк снимался в Риме, на Пьяцца ди Навона. «Скорая помощь» на дикой скорости мчится по тротуару между столиками кафе — так она пытается объехать автомобильную пробку.

На Пьяцца ди Навона запрещена автомобильная езда. Рязанов совершил невозможное: добился снятия запрета для съемочной группы. Затор был искусственно создан из машин членов съемочной группы. Хозяин летнего кафе одолжил столы и стулья, на них разместилась массовка, одного человека посадили у стены.

Римская полиция разрешила проделать это один раз и быстро уехать. Итальянский каскадер сел в машину «скорой помощи», включил сирену и на дикой скорости направил ее на площадь. Потом машина свернула с мостовой и понеслась по тротуару. Столики разлетелись, массовка закри-

чала, и «скорая помощь» снова выбралась на мостовую. Но человеку, сидевшему у стены, стало плохо от страха — машина едва не врезалась прямо в него.

Сразу же начался скандал. Участники массовки требовали от директора картины денег в уплату пострадавшему и заодно всем свидетелям тоже. Пришлось откупиться, скандал удалось замять. Съемки продолжались.

Фильм пародировал множество известных зарубежных приключенческих фильмов. Эпизод с посадкой пассажирского лайнера на шоссе пародирует французский фильм «Сицилийский клан», взрыв бензоколонки — фильм Микеланджело Антониони «Забриски-пойнт». Сюжет фильма Рязанова напоминает «Этот безумный, безумный, безумный, безумный мир» (в итальянском прокате фильм вышел под названием «Безумная, безумная, безумная гонка в России»).

Сцена с посадкой Ту-134 снималась на Ульяновском аэродроме, все полеты совершали летчики Ульяновской летной школы, взлетно-посадочную полосу «загримировали» под шоссе. Заместитель начальника школы Иван Антонович Таращан предложил: «Возьмите письмо из Министерства гражданской авиации, в котором мне позволят летать с нарушением инструкции, и я выполню трюк». Однако в Министерстве гражданской авиации ответили категорическим отказом.

«...Когда мы заикнулись об этом в Министерстве гражданской авиации, с нами просто не стали разговаривать. «Это смертельно опасно! Это запрещено!» — категорически заявили нам. В министерстве никто не хотел рисковать. *Если бы, не дай Бог, случилось несчастье, человек, давший разрешение, стал бы отвечать за гибель самолета и людей. Среди руководителей гражданской авиации безумца не нашлось. И мы приехали в Ульяновск без письма министерства.*

Летчик Таращан сначала наотрез отказался выполнить нашу просьбу — посадить самолет на взлетную полосу, по которой будут ездить автомобили. Но где-то в глубине души замечательному пилоту хотелось совершить трюк, какого еще никто не исполнял. Понимая огромную ответственность, которая лежит на нем, он потребовал: «Машины — только легковые, за рулями — только летчики: в этой чрезвычайной ситуации им легче будет ориентироваться мгновенно и безошибочно». Мы созвали всех летчиков, имеющих личные машины, и «мобилизовали» их на съемку. По краям взлетной полосы навстречу друг другу бежали легковые автомобили, и Таращан посадил гигантский лайнер на взлетную полосу. Иван Антонович проделал это по нашей просьбе шесть раз, и каждый раз выполнял задание безупречно!»[26]

В фильме были кадры, как Ту-134 едет по шоссе вместе с автомобилями, проезжает по улице городка. Эти проезды снимались на резервной полосе аэродрома, где построили декорации домов, установили светофоры, посадили деревья, привезли киоски «Союзпечати» и бочку с квасом. По тротуарам спешили люди, бежали дети, за квасом стояла очередь.

«Невероятные приключения итальянцев в России».
Пилоту удалось совершить трюк, какого еще
никто не исполнял

Большинство трюков в автомобильной погоне выполнил итальянский каскадер, автогонщик Серджио Миони. Эпизод, когда «Москвич» и «Жигули» попадают под струю воды и грязи, становятся «слепыми» и мечутся, преследуя друг друга, выполнили советские гонщики. Они же осуществили всю водительскую часть номера с пожарной машиной.

Для съемок взрыва бензоколонки художник Михаил Богданов воздвиг бензоколонку, которая ничем не отличалась от настоящей. В результате многие автомобили подъезжали заправиться.

В трюке с разведенным мостом — единственная в фильме сцена с участием дублеров (Нинетто Даволи (Джузеппе) прыгал сам, без дублера), в эпизоде, где под мостом проплывает пароход (снимали пароход «Тарас Шевченко», у которого нарастили на 2,5 метра рубку), участвовали студенты циркового училища. Чтобы создать у зрителя впечатление, что трюк выполнен артистами, нужны были их крупные планы. Уговорили Андрея Миронова, и он повис над рекой на вздыбленном крыле моста, высота которого равнялась примерно 15-этажному дому. Внизу плескалась Нева, под Мироновым шел теплоход. Несчастный Миронов изо всех сил пытался взобраться на мост. Сняли весь эпизод за один день.

Немало хлопот доставил живой лев. В его роли снимался знаменитый Кинг, обитавший в Баку в доме архитектора Берберова. Хозяин Кинга утверждал, что его гениальный питомец способен на любые трюки, но оказалось, что лев ленив и не желает никого слушать. Под Ленинградом для Кинга и

дрессировщиков сняли целый дом с участком, где было удобно содержать и кормить хищника. Месяц ушел на его акклиматизацию.

Эпизоды со львом снимали белыми ночами. На первой же съемке со львом выяснилось, что актеры его панически боятся. Кроме того, он наотрез отказывался работать. Это был гигантский домашний кот, который делает только то, что хочет сам. Несмотря на просьбы хозяев он даже не желал пробежать по прямой несколько метров. Способности льва были сильно преувеличены.

«...Лев был недрессированный, невежественный и, по-моему, тупой. Мы намытарились с этим сонным, добродушным и симпатичным животным так, что невозможно описать.

Например, чтобы снять его прыжок в окно склада матрешек, понадобилось четыре ночи: он отказывался! А на четвертую ночь вдруг прыгнул. Что-то внутри привлекло его внимание, и он наконец решился. ...Сложные отношения сложились с «дрессировщиками». По малейшему поводу и без повода они заявляли: «Лев болен, лев не может, лев устал». После того как, скажем, Кинг пробегал метров двадцать, они говорили: «Лев переутомился и сегодня сниматься не будет». Так вымогались дополнительные деньги у директора картины К. Атаджанова, который ненавидел весь этот зверинец.

...Я для себя решил, что это первая и последняя моя картина, где принимают участие представители фауны.

Я дал себе слово, что никогда больше не буду режиссером-анималистом. Не только львов, но даже собак и кошек ни за что не стану снимать!»[27]

С огромным трудом удавалось уговорить актеров сниматься со львом, особенно после того как один из них, Нинетто Даволи, оказался в объятиях льва и тот слегка ободрал ему спину, решив поиграть. Самым бесстрашным из всех оказался Андрей Миронов.

Милиционер под прикрытием, которого играл Миронов, слезает со сфинкса, куда лев загнал всю компанию кладоискателей, и проводит со зверем беседу, пытаясь пробудить в хищнике сознательность. По команде Рязанова, умиравшего от страха за актера, Миронов полез со сфинкса вниз. Лев встал. На лице Миронова был написан еле скрываемый ужас, что и требовалось по фильму. Тем не менее, отсняли три дубля этой сцены — Миронов спускается почти в пасть льву и ведет с ним задушевные разговоры. К счастью, все обошлось благополучно.

Это был не единственный подвиг Миронова — он нырял в Неву за ларцом с сокровищами, когда температура воды в первых числах июня была 8 градусов. Кадр под водой, где герой картины добирается до дна, хватает шкатулку и сообщает своему полковнику по ручным часам (они же рация), что клад в его руках, снимался уже под Неаполем при температуре 28 градусов. На последний эпизод отводилось два съемочных дня, но Рязанов оставил Миронова в Италии на месяц — в благодарность за все подвиги. Миронов был на седь-

Один из киношных подвигов Андрея Миронова

мом небе: гулял по Неаполю, ездил в Рим, ходил в музеи и в гости. «Что ты там делаешь? — удивлялась его жена по телефону. — Тебя нет уже месяц, а было-то всего два съемочных дня!» — «Я здесь живу!» — отвечал ей счастливчик.

Дино Де Лаурентису понравилась картина, и он сильно пожалел, что не рискнул снять дорогих актеров-кинозвезд. Это означало, что прокатные сборы будут невелики...

На Западе фильм почти не демонстрировался. Его продали какой-то захудалой голландской фирме, которая возвратила Лаурентису затраты, но организовать прокат, заказать рекламу картины ей было не по плечу. Но когда в США организовывалась ретроспектива фильмов Рязанова, то на одноразовый показ в Нью-Йорке «Итальянцев в России» запрашивали разрешение этой самой голландской фирмы.

Снова новогоднее кино: «Ирония судьбы, или С легким паром»

После «Итальянцев в России» Рязанов приступил к съемкам самого знаменитого своего фильма, новогодней картины на все времена, — «Иронии судьбы, или С легким паром». Но сначала они с Брагинским написали пьесу под названием «С легким паром!» и предложили ее московским театрам.

Идея создания этого произведения возникла после того, как им рассказали историю о человеке, который после бани зашел к приятелям, выпил, закусил и повеселился, после чего заснул как убитый. Нетрезвые друзья погрузили его в поезд

Москва — Ленинград. Вскоре ничего не понимающий друг проснулся в общем вагоне, прибывшем в Ленинград, с веником, портфелем и парой копеек в кармане. Брагинский и Рязанов стали фантазировать, как могли бы развиваться события. В результате получилась пьеса о Жене Лукашине, Наде Шевелевой и Ипполите.

«...После того как нашу пьесу отвергли многие московские театры, она наконец нашла пристанище в стенах одного очень знаменитого столичного театрального коллектива. Я не стану называть этот театр и не советую ломать голову — все равно не догадаетесь. Читка «Легкого пара» на труппе прошла довольно успешно, пьеса была единодушно принята. В театре вывесили приказ о распределении ролей. Надю Шевелеву должна была играть Юлия Борисова, Лукашина — Юрий Яковлев, а Ипполита — Николай Гриценко. Он же собирался стать и режиссером спектакля. У него было намерение реализовать свой замысел как яркое зрелище, подобно тому как в свое время ставилась на этих же подмостках «Принцесса Турандот» — озорно, с выдумкой, отсебятиной, танцами и куплетами. Был приглашен композитор — очаровательный Ян Френкель, своими усами смахивающий на Мопассана. Вместе с режиссером, композитором и поэтом Александром Галичем мы наметили места в пьесе, где будут вставлены куплеты стюардесс, танцы дворников и прочие музыкальные дивертисменты...»[28]

Театр, однако, пьесу ставить раздумал. К ней проявил интерес другой театр — имени Станиславского, но в ту пору оттуда ушли Е. Леонов, Г. Бурков и другие звезды. Рязанову и Брагинскому не хотелось дебютировать на московской сцене слабым представлением, и в итоге в Москве ее так и не поставили.

В 1974 году у Брагинского случился инфаркт, после которого он год не мог работать. Совместная литературная работа затормозилась, и Рязанов, чтобы не простаивать, решил экранизировать «С легким паром!», адаптировав пьесу для кинозрителя. Нужно было уменьшить количество реплик, увеличить число мест действия — для зрелищности и достоверности. Такова обычная практика экранизации театральной пьесы, но Рязанов решил пойти другим путем.

Он понял, что «Ирония судьбы» не может быть коротким фильмом — зритель должен видеть и верить, как герои от неприязни и отвращения переходят сначала к робкой симпатии, а затем влюбляются. При сокращении реплик могла возникнуть угроза упрощения главной лирической линии. Сначала Рязанов думал о двухсерийном фильме на большом экране, но ему никто не разрешил — фильм не отражал общественных проблем, а комедия должна быть короткой.

Получив отказ Госкино, Рязанов обратился на телевидение, в Гостелерадио. И там согласились. «Ирония судьбы» стала телевизионной и двухсерийной.

«...Мне хотелось создать ленту не только смешную, но и лирическую, грустную, насыщенную поэзией. Хотелось

В кадре фильма «Ирония судьбы, или С легким паром»
сам Эльдар Рязанов

сделать ее максимально жизненной, чтобы зритель безоговорочно верил в реальность невероятных происшествий. С другой стороны, хотелось, чтобы эта лента стала рождественской сказкой для взрослых. Хотелось наполнить картину печальными песнями и щемящей музыкой. Мелодии Микаэла Таривердиева, контрастируя с комедийным ходом фильма, придали ему своеобразную стереоскопию, оттенив смешное грустью и лирикой. Конечно, помогли в этом тщательно отобранные стихотворения прекрасных поэтов. Мне кажется, что волшебные стихотворные строчки, насытившие ткань фильма, создали интимную атмосферу, своего рода «магию искренности и задушевности», которая, несомненно, проникла в зрительские сердца, задевая сокровенные струны души»[29].

Очень важно было подобрать исполнителей главных ролей — Евгения Лукашина и Надежды Шевелевой. Не подходили ни эксцентрические, ни чисто драматические актеры. Кроме того — обаятельные, привлекательные и тактичные.

Андрея Мягкова из театра «Современник» Рязанов знал как хорошего драматического артиста, но не был уверен в его комедийном таланте и поначалу не очень хотел даже снять на кинопробу. Но после первых репетиций стало ясно, что Мягков — идеальный Лукашин, с чем согласилась и съемочная группа.

Сложнее было с ролью Нади. Актриса должна была совмещать комедийные, драматические и музыкальные способности, быть лишенной вульгарности, независимой и чуть

беспомощной. Провели множество неудачных кинопроб, но психофизические данные актрис не совпадали с чертами героини. В одной была легкая вульгарность, и сюжет сразу же начинал выглядеть как история на одну ночь. Другая плохо выглядела на экране, хотя в жизни была намного лучше. Зритель не поверил бы, что в такую Надю можно влюбиться без памяти, забыв о невесте-красавице. У третьей не было чувства юмора. Пробы шли за пробами, а кандидатуры все не было, и Рязанов уже начал отчаиваться.

И тут он вспомнил про актрису из польского фильма «Анатомия любви» — Барбару Брыльску. Рязанов позвонил ей в Варшаву, Барбара заинтересовалась и согласилась сниматься. В Москву сделали кинопробу, и она оказалась самой убедительной. Валентина Талызина мастерски озвучила Брыльску, Алла Пугачева исполнила все песни героини. Роль Нади Шевелевой создана усилиями трех одаренных актрис. Ранее Талызина пробовалась на роль Нади Шевелевой, но не была утверждена. Талызина играет также одну из надиных подружек, но создается впечатление, что слышны два разных голоса.

На роль Ипполита был вначале утвержден Олег Басилашвили. Однако в дни съемок скончался его отец, а затем ушел из жизни актер Большого драматического театра Ефим Копелян, в связи с чем Басилашвили не смог приехать на съемки. Тогда Рязанов позвонил старому другу, Юрию Яковлеву, и попросил исполнить роль Ипполита. Он честно рассказал, что был утвержден Басилашвили, но он не может играть, и попросил выручить. Яковлев согласился. По счастью, у них с

Басилашвили совпал размер, и все костюмы Ипполита пришлись Яковлеву впору.

В окончательном монтаже фильма так и остался кадр, где Барбара Брыльска поднимает со снега карточку с изображением Ипполита — Олега Басилашвили. Переснять этот кадр с фотографией Юрия Яковлева уже не успели — зима кончилась, снег сошел.

В одном из эпизодов фильма по Надиному телевизору идет фильм «Соломенная шляпка». На экране видна Людмила Гурченко, которую Рязанов снимал во многих своих фильмах. В «Иронии судьбы» для Гурченко роли не нашлось, но Рязанов все же «снял» ее в фильме таким оригинальным способом. В этом же эпизоде вместе с Людмилой Гурченко можно увидеть и Андрея Миронова, который пробовался на роль Жени, но не был утвержден.

Оператор Владимир Нахабцев предоставил в кадре полную свободу исполнителям. Как правило, актеры должны стоять в строго определенном месте, где на них направлен свет, смотреть одном направлении, не выходить из фокуса. Так при съемке они не только играют, но и думают об указаниях оператора. Нахабцев, применив все технические новинки того времени, сделал так, чтобы исполнители были подвижны и смогли бы полностью отдаться игре. Художник Александр Борисов понимал, что в квартире проходит более двух с половиной часов экранного времени, а в кадре — всего два-три человека. Поэтому надо было найти выразительные мизансцены. Он придумал сделать героев новоселами. Это еще

«Ирония судьбы, или С легким паром»

По иронии судьбы или по задумке? Женя Лукашин выбрасывает в окно фотографию Ипполита, на ней виден привычный нам герой, сыгранный Яковлевым. А вот когда Надя подбирает ее, там изображен... Олег Басилашвили

более оправдывало поведение героя — в новой, необжитой квартире легко не заметить ошибку.

Но самое главное — получился фильм о чуде, которого все ждут под Новый год. Во многом именно этим объясняется невероятный успех «Иронии судьбы».

Не обошлось и без курьезов, о чем с блеском во многих интервью рассказывал Александр Ширвиндт, сыгравший одного из друзей Жени Лукашина.

«Эпизод в предбаннике перед отправкой одного из героев в Ленинград стал многолетней классикой сначала советского, а потом российского кино.

...Ко мне повсеместно подходили «простые советские люди», часто подвыпившие, и, любовно полуобняв, спрашивали: «Анатолич! (Обращение, обозначающее высшую степень уважения и приятельства, ходящее в партийных и дворовых кругах.) Слушай, Анатолич! Мы тут с корешами заложились: я говорю, это бани-то Серпуховские, а эти чмуры говорят, что Пятницкие». Я, конечно, подтверждаю версию того, кто меня первый узнал и обнял, хотя вся история с баней снималась ночью в холодном коридоре «Мосфильма», так как собрать в человеческое время этих четырех господ, работающих в разных театрах и снимающихся в разных фильмах, оказалось физически невозможно. Привезли пальмы из Сандунов, настоящее неразбавленное пиво в бочках, наняли сборную по дзюдо или самбо (память слабеет — святых вещей не помню) для изображения счастливых посетителей и снимали

две ночи этот ключевой эпизод знаменитой эпопеи. Могли бы, наверное, снять и за одну ночь, но мимолетная потеря бдительности киногруппы и лично тов. Рязанова заставила всех мерзнуть под лестницей вторую ночь. Случай трагический, но поучительный.

Многие помнят, а кто не помнит, я напомню: смысл эпизода состоял в том, что честная компания напивалась в бане холодным пивом с водкой до бессознательного состояния и в отпаде отправляла не того человека в Ленинград. Учитывая игровые обстоятельства, холодные ночные подземелья родного «Мосфильма», исключительно для жизненности эпизода, а также для поддержания творческих сил участники сцены, почти не сговариваясь, притащили с собой на съемку каждый по пол-литра. Этими пол-литрами очень тонко и умело заменили реквизиторские с водой и сложили в игровой портфель незабвенного Жоры Буркова, который по ходу сцены доставал их и руководил «банным трестом». Как я уже говорил, пиво было свежее и настоящее. Водка на свежесть не проверяется, а настоящая она была точно. Сняв первый дубль и ощутив неслыханный творческий подъем, мы потребовали второго дубля, совершенно забыв, что при питье разных напитков ни в коем случае нельзя занижать градус, то есть можно попить пивка, а потом осторожно переходить к водке, и никак не наоборот, поскольку старая российская мудрость гласит: «Пиво на вино — говно, вино на пиво — диво».

После третьего дубля даже высочайший кинопрофессионал, но совершеннейший дилетант в сфере алкоголизма Эльдар Рязанов учуял неладное, так как не учуять это неладное было практически невозможно.

«Стоп! — раздалось под сырыми сводами «Мосфильма». — Они пьяные!» Истерика и ненависть Эльдара не ложатся на бумажный лист, и я оставляю их для воображения читателя. На следующую ночь до начала съемки все четверо участников были подвергнуты тщательному таможенному досмотру. Перед командой «Мотор», зная, с кем имеет дело, Эльдар Александрович лично откупоривал все бутафорские водочные бутылки и нюхал с пристрастием свежую воду. Снимали тот же эпизод — играли пьяных, шумели, старались хорошим поведением скрасить перед Рязановым вчерашний проступок.

«Стоп! Снято!» — прозвучал наконец под утро усталый, но, как нам показалось, довольный голос Рязанова, что дало право всей компании подойти к нему и робко намекнуть, что, по просвещенному мнению компании, материал, снятый вчера и сегодня, вряд ли смонтируется, ибо вчера был пир естественности, а сегодня потуги актерского мастерства. Эльдар сказал, что вот как раз случай проверить, с какими артистами он имеет дело, иначе проще было бы взять на эти роли людей под забором. Мы виновато удалились, но в картину вошли кадры, снятые в первую ночь! Вот и верь после этого в искусство перевоплощения»[30].

«Стоп! Снято!» — прозвучал наконец усталый,
но довольный голос Рязанова...

«Иронию судьбы» сняли в июне 1975 года, телевизионную премьеру наметили на начало января 1976-го. Все это время ходили упорные слухи о том, что фильм на экраны не допустят. Председатель Госкино Ф.Т. Ермаш при встрече злорадно сказал Рязанову: «Слышал, у тебя там неприятности — не хотят картину выпускать из-за пропаганды пьянства!». Ермашу не понравилось рязановское упрямство — ведь фильм все-таки не остался на полке. Кроме того, между ним и С.Г. Лапиным, министром телевидения, существовала личная неприязнь.

Несколько лет спустя после премьеры «Иронии судьбы» Лапин рассказывал Рязанову: «В Софрино в Доме творчества телевизионных работников проходил семинар. Съехались со всей страны председатели партийных бюро республиканских, краевых и областных комитетов Гостелерадио. Я им послал для просмотра "Иронию судьбы". Они ее поглядели. А через день во время своего выступления перед ними спросил, можем ли мы показать фильм советскому народу. В ответ раздалось дружное: "Нет! Нет! Нет!" А я смотрю на них и улыбаюсь. Я-то с картиной уже успел познакомить Леонида Ильича и заручился его согласием».

Фильм впервые показали 1 января 1976 года. «Ирония судьбы» началась в шесть вечера и шла до программы «Время». Люди уже выспались, а новое застолье еще не началось.

«...В один вечер 70—100 миллионов человек (так утверждает статистика) в одни и те же часы видят твою работу. От этого рождается совершенно новый, оглушающий, сокрушительный эффект. Резонанс получается

неслыханный: назавтра буквально вся огромная много-миллионная страна толкует о картине. Либо ее дружно ругают (а когда ругает хор, состоящий из 80 миллионов зрителей, — это страшно). Либо массы раскалываются на два гигантских лагеря и во всех учреждениях страны, в очередях, в метро и трамваях кипят яростные споры приверженцев и противников. Если же картина понрави-лась, то похвала 80 миллионов зрителей — обстоятельст-во, перед которым очень трудно устоять и не возомнить себя сверхчеловеком. И тем не менее к успеху надо отне-стись очень спокойно, иначе просто погибнешь...

Пресса откликается мгновенно, а сотни и тысячи писем и телеграмм приходят сразу же, максимум через два-три дня после показа. Я был буквально смят, оглу-шен, ошарашен гигантским, могучим потоком откликов на «Иронию судьбы». Благодаря колоссальному охва-ту зрителей и единовременной демонстрации лента сра-зу начинает жить в сознании десятков миллионов лю-дей. Произведение тут же становится массовым достоя-нием, и добиться этого может только телевидение. Если несколько десятков лет назад самым распространенным из искусств являлось кино, то в наши дни это, несомнен-но, телевидение»[31].

Фильм приняли восторженно, он тут же разлетелся на цитаты.

С «Иронии судьбы» началось многолетнее сотрудниче-ство Рязанова с Лией Ахеджаковой. Она сыграла в малень-

ком эпизоде в фильме «Ирония судьбы, или С легким паром!» — Таню, подружку героини, одинокую учительницу. Она по-детски бескорыстно радуется счастью подруги, вложив в крошечный отрезок экранного времени всю женскую судьбу своего персонажа.

Снялся в крошечной роли-камео и сам Рязанов — он играет сердитого пассажира самолета, на плече которого постоянно пытается уснуть пьяненький Лукашин.

Именно Рязанов открыл зрителю эту талантливую актрису, именно его фильмы принесли ей народную любовь.

«Служебный роман»

В 1971 году Эльдар Рязанов вместе со своим постоянным соавтором Эмилем Брагинским написал пьесу «Сослуживцы» — как первую часть дилогии, второй частью которой стали «Родственники».

В том же году пьеса была поставлена в Москве в театре Маяковского и в Ленинграде в Театре комедии, а затем и на провинциальной сцене. «Сослуживцы» пользовались успехом, и вдохновленный этим Рязанов решил снять фильм на основе пьесы. На телевидении уже делалась телепостановка, но, по мнению авторов, она оказалась неудачной.

В «Сослуживцах» рассказывается о том, как забитый, затюканный жизнью экономист Новосельцев, получающий небольшую зарплату, по совету циничного приятеля Самохвалова начинает ухаживать за немолодой и некрасивой началь-

Кадр со съемок фильма «Служебный роман»

ницей Людмилой Прокофьевной Калугиной по прозвищу Мымра. Цель ухаживанья — получить прибавку к зарплате и стать начальником отдела.

Новосельцев — сорокалетний, давно разведенный мужчина, один воспитывающий двух сыновей (жена ушла к другому мужчине). Он застенчив и не уверен в себе. Калугина — директор Статистического управления. У нее служебная «Волга» с личным шофером, квартира в центре Москвы, но она одинока и несчастна. Спасение от одиночества она видит в работе. Женское начало в ней полностью подавлено. Все сотрудники за глаза называют ее «мымрой» и «старухой», хотя ей нет и сорока.

Коллега и приятельница Новосельцева, Ольга Петровна Рыжова, подает Анатолию Ефремовичу идею — попросить у Калугиной повышение, должность начальника отдела легкой промышленности, чтобы не клянчить постоянно у сослуживцев «двадцатку до получки». Эта должность вакантна.

Тем временем в учреждении появляется новый сотрудник — Юрий Григорьевич Самохвалов, назначенный заместителем Калугиной. С ним хорошо знакомы Новосельцев и Рыжова: они учились в одной группе в институте. У Ольги Петровны в институтские годы был роман с Самохваловым.

Пользуясь своим служебным положением, Самохвалов пытается продвинуть старого друга в начальники отдела, но попытка заканчивается ничем: Калугина считает Новосельцева посредственным и безынициативным работником. Самохвалов предлагает Новосельцеву «приударить» за директрисой, чтобы получить заветное повышение. Новосельцев

поначалу наотрез отказывается, он боится Калугину и совершенно не воспринимает ее как женщину, — но от безысходности, в конце концов, соглашается.

Постепенно Новосельцев открывает в ней необычного, яркого человека. Корыстное ухаживание перерастает в любовь. Замкнутая начальница сбрасывает с себя защитную маску «сухаря», за которой скрывалась живая и отзывчивая душа.

Действие пьесы в основном происходит в статистическом учреждении. Для съемок выбрали типичное заведение, где сотрудники заняты бесконечными подсчетами.

Нужно было организовать многолюдную среду, в которой живут герои. В часы пик Москва мчится на службу, а после нее торопится домой. Люди добираются до места своей службы помятыми и растрепанными. Это было очень удачно изображено в фильме.

В учреждениях того времени были местком и партком, получали продуктовые заказы, проводили инвентаризацию. Сюжет окунули в этот типичный быт советского учреждения для создания достоверности. Зрителю все должно было стать знакомым до мелочей.

«...Чем-то неуловимым Статистическое учреждение напоминает описанный у Ильфа и Петрова «Геркулес», заведение, ведавшее лесо- и пиломатериалами.

Та ильфовская контора помещалась в здании гостиницы, и гостиничный дух ничем нельзя было изжить. С редкой назойливостью он старался напомнить о себе

и мраморными ваннами и никелированными кроватями, а также оставшимися понатыканными всюду пальмами и сикоморами. *В Статистическом учреждении Рязанова тоже полно канцелярско-гостиничной растительности, а кроме того имеются статуи-«Венеры» и дискоболы, эдакая гипсовая псевдоантичность. Огромный зал, где корпят над своими бумагами и арифмометрами сотрудники, просторен, как лесная вырубка; столы расставлены тут не в строгом и чинном геометрическом порядке, а громоздятся будто пни сваленных деревьев. Здесь можно найти нелепо укромные уголки — вроде того, в который забился товарищ Бубликов (П. Щербаков), начальник отдела общественного питания: он окружен великолепной канцелярской растительностью и вроде находится в затишье, но прямо перед ним — лестница, по которой вверх и вниз дефилируют стройные женские ножки, отрывая товарища Бубликова от жгучих статистических проблем»*[32].

Еще на подступах к написанию сценария Рязанов определил будущий актерский ансамбль. Он сначала заручился согласием не только Алисы Фрейндлих, но и ее будущих партнеров — Андрея Мягкова, Светланы Немоляевой, Олега Басилашвили, Лии Ахеджаковой, Людмилы Ивановой. Во всех этих актерах помимо одаренности, музыкальности, чувства юмора, драматического таланта, была ярко выраженная способность к импровизации.

На каждую роль пробовался только один претендент. У героя и героини была одинаковая задача — показать превра-

«Служебный роман». Афиша

щение из гусеницы в бабочку. Очаровательная Алиса Фрейндлих должна была стать настоящей Мымрой, обезобразить себя до неузнаваемости. Гримеры и художник по костюмам долго искали облик нудной и старомодной начальницы. На экране в начале фильма возникало что-то бесполое и нудное, существо, непохожее на женщину, вместо сердца у которого, по мнению подчиненных, только цифры и отчеты. А между тем Калугина просто одинока и нет человека, ради которого ей хотелось бы выглядеть иначе. Мымра-Фрейндлих естественна, органична и смешна.

Уже в середине картины, даже не прибегая к гриму и смене туалета, героиня Фрейндлих становится вдруг милой и симпатичной женщиной. Если сопоставить начало и конец фильма, может показаться, что это две разные женщины. Френдлих незаметно, шаг за шагом заставляла зрителя поверить в такое преображение.

«...А как уродовала себя в «Служебном романе» Алиса Фрейндлих! Подстрижена под жуткую скобочку, сутула, плечи никогда не отводятся назад, движения резки и одновременно странно неуверенны, рука на боку, как на старых портретах полководцев, палец прячется в карман, фигура мешком, вечная хмурость, близорукий взгляд — мимо тебя. Общее ощущение унылой монотонности и вместе с тем — расхристанности, несобранности...

Нет, она вовсе не вынуждена притворяться. Все проще: она не знает себя. Не знает, что способна стать дру-

гой. И надо было появиться в ее орбите другому чудаку — Новосельцеву, чтобы она, директор Калугина, сначала разгневалась, изумилась, потерялась, а потом заинтересовалась, влюбилась без памяти и почувствовала себя женщиной.

В модной стрижке, с красиво подведенными глазами, в длинном вечернем платье, на высоченных каблуках, она действительно выглядит совсем другим человеком. Но, пожалуй, главная прелесть ее обворожительного появления перед онемевшим Новосельцевым-Мягковым — смятение, трепетность чувств, смесь отчаянной надежды с отчаянным же испугом, разом и уверенность в счастье и предвкушение катастрофы... И это ни с чем не сравнимая, фантастическая зависимость от его слова, взгляда, выражения лица»[33].

Уже из искренних чувств к Калугиной Новосельцев начинает за ней ухаживать. В Людмиле Прокофьевне просыпается женское начало, и она постепенно влюбляется в своего подчиненного. В один из вечеров она приглашает Новосельцева к себе домой, где старшего статистика встречает очаровательная женщина, не имеющая ничего общего с «нашей мымрой». На следующее утро чудесно преобразившаяся Калугина производит фурор и в учреждении; впервые в жизни она опаздывает на работу. Анатолий Ефремович также преображается: к нему возвращается мужской кураж и уверенность в себе.

Приглашая на роль Новосельцева Андрея Мягкова, Рязанов слегка опасался, что зритель не воспримет его в роли Новосельцева после «Иронии судьбы». Оба героя, и Лукашин и Новосельцев, довольно схожи: скромны, застенчивы и преображаются благодаря любви. И все же Мягков не стал играть второго Лукашина. Он нашел другие черты.

Новосельцев, по мнению Рязанова, — современный Акакий Акакиевич. Дома дела сложились не лучшим образом. Жена ушла (от такого любая уйдет), оставив ему двух сыновей — он им и мать, и нянька, и кухарка, и прачка. Именно таких именуют неудачниками. Гример О. Струнцова помогла актеру найти выразительную (в смысле «невыразительности») внешность. Поначалу он абсолютно безлик и сер.

Мягков, как и Фрейндлих, себя не пожалел. Неряшливо одетый, опустившийся клерк с мерзкими усиками — таким он выглядит на старте нашей любовной истории. В «Служебном романе» артист более беспощаден к своему герою.

«...Если в Лукашине все-таки присутствует некая романтизация образа — тут и гуманная профессия, и привлекательная внешность, и песни, исполняемые в кадре, — то в Новосельцеве нет никакого украшательства. Внешность героя, скорее, неприятная, профессия неинтересная, песни звучат за кадром, первоначальный поступок персонажа нечистоплотен — вызвать сочувствие, симпатию и любовь к этому затюканному жизнью, детьми и работой человеку непросто. Но актер очень точ-

«Служебный роман». Рабочий момент съемок.
В кадре: Эльдар Рязанов, Олег Басилашвили
и Андрей Мягков

но расставил акценты, не «промазал» ни одного доброго, человечного нюанса в роли. Мягков в роли Новосельцева старается передать внутреннее благородство своего героя, его врожденную порядочность, беззащитность — и от этого притягательность. При этом актер показывает героя не статично, не заданно раз и навсегда, а в движении, изменении характера. Амплитуда в роли Новосельцева больше, чем в герое «Иронии судьбы». Здесь показано подлинное преображение персонажа»[34].

Пока разворачивается роман между Мымрой и Новосельцевым, все еще любящая Самохвалова Рыжова начинает забрасывать его письмами через секретаршу Верочку, которая делает эти письма предметом сплетен и пересудов, стабильной «темой дня» в учреждении. Самохвалов жалуется активистке месткома Шуре на преследования со стороны Рыжовой и просит повлиять на нее. О поступке Самохвалова узнает Новосельцев и на глазах у Калугиной дает ему пощечину. В отместку Самохвалов рассказывает Людмиле Прокофьевне, как его старый друг решил «приударить» за ней с целью повышения в должности. Калугина шокирована, она больше не верит в искренность чувств Новосельцева, и счастье влюбленных оказывается под угрозой.

Несмотря на короткую потасовку в учреждении, герои все-таки мирятся. И, по информации из финальных титров картины, «через девять месяцев у Новосельцевых было уже три мальчика».

Материала было отснято намного больше, чем вошло в окончательный вариант фильма (почти на три серии вместо двух). Например, из фильма был вырезан эпизод, в котором Шурочка, после появления «ожившего» Бубликова, несется по коридорам статистического учреждения с криком: «Я не виновата! Умер однофамилец, а позвонили нам!», а на нее идет с кулаками рассерженный Бубликов. Наконец, Шура набирается смелости, выходит ему навстречу и восклицает: «Да здравствует живой товарищ Бубликов!», — и все аплодируют. Бубликов в изумлении говорит: «Товарищи, спасибо за все».

Бронзовый конь, которого переносит Новосельцев, ранее был задействован в фильме Леонида Гайдая «Бриллиантовая рука», он же показан в одной из серий телефильма «Семнадцать мгновений весны» (режиссер Татьяна Лиознова), в фильмах «Формула любви» и «Старый Новый год». Позже этот же конь появится в фильме Владимира Меньшова «Ширли-мырли», снятом уже после распада СССР.

Слова песни «У природы нет плохой погоды» («Песенка о погоде») были написаны самим Рязановым, но он передал их композитору фильма Андрею Петрову под видом стихотворения английского поэта Уильяма Блейка, чтобы не смущать его. Тот «подлога» не почувствовал, но после того, как узнал истинное авторство, многие стихи известных, знаменитых поэтов, предлагаемые Рязановым при дальнейшем сотрудничестве, казались ему стихами самого Рязанова.

Во время съемок фильма «Ирония судьбы, или С легким паром!» Мягков выражал недовольство по поводу того, что

Рязанов «не разрешил» ему исполнять песни (за него в картине пел Сергей Никитин). В «Служебном романе» поет уже сам Мягков.

Премьера фильма состоялась в Москве 26 октября 1977 года; «Служебный роман» сразу стал одним из самых популярных советских фильмов, а в 1979 году был удостоен Государственной премии РСФСР.

Кадр из фильма «Служебный роман»

САТИРИЧЕСКИЕ КОМЕДИИ

«Гараж»

10 марта 1980 года состоялась премьера фильма Эльдара Рязанова «Гараж». Идею фильма режиссеру подбросила сама жизнь. Побывав на заседании настоящего гаражного кооператива сотрудников «Мосфильма», Рязанов был настолько потрясен, что не смог не отразить увиденное и пережитое в сценарии.

Много лет спустя, в своей книге «Грустное лицо комедии, или Наконец подведенные итоги» Рязанов писал: «Я приехал домой после собрания как оглушенный, ведь среди присутствующих было много моих знакомых, которых я считал порядочными. Но там я увидел сборище людей, лишенных совести, забывших о справедливости, людей равнодушных и трусливых. Как будто вдруг спали маски благопристойности, обнажив уродливость лиц».

Однако еще больше расстроила режиссера собственная реакция на реальные события, аналогичные разворачивающимся в фильме, — поддавшись коллективному настрою, он не заступился за тех, кому пришлось «добровольно-принуди-

тельно» лишиться заветных гаражей. Так в фильме появился персонаж профессора Смирновского, олицетворяющий самого Рязанова, совесть которого хоть и ближе к концу фильма, но все-таки заговорила.

«...Я понял, что должен поставить об этом фильм. Чем больше я вспоминал и анализировал происшедшее, тем более крепло во мне это желание.

Буквально на следующий день я подробно рассказал Эмилю Брагинскому всю гаражную свару. Ему тоже показалось, что эта история — интересный материал для сценария или пьесы. У Брагинского имелся свой немалый опыт в этой области. Он был несколько лет заместителем председателя правления жилищного кооператива и хорошо знал многие тонкости взаимоотношений между правлением, с одной стороны, и рядовыми пайщиками — с другой.

Обсуждая эту историю, мы сразу поняли, что открывается возможность на примере одного частного случая затронуть ряд глубинных проблем, типичных для времени, свойственных обществу на данном этапе. Тут и явление, обозначенное «ты — мне, я — тебе», и преклонение перед крупными чиновниками, и жажда накопительства, и приспособленчество, и омещанивание душ человеческих, и ненормальное использование городской помощи селу, и проблема одиноких женщин, и липовые «научные» диссертации, и коррупция среди людей, занимающих «хлебные» должности, и судьбы бывших фрон-

товиков, и привилегии «сыночков», и еще многое, многое другое. Затрагивая эти проблемы, можно было показать и честных, благородных людей, которые вступают в трудную схватку с несправедливостью.

Мы с Брагинским понимали, что, поскольку работаем в области смешного, нам предстоит написать комедию сатирическую, то есть выступить в жанре почти вымершем. Хотели затронуть и вытащить на свет серьезные дефекты нашей жизни, о которых живо говорят дома, в кругу друзей, в тесной компании, но частенько обходят стороной в официальной обстановке...»[35]

Действие происходит в СССР в конце 1970-х годов в вымышленном НИИ «Охраны животных от окружающей среды». Сотрудники института организовали гаражный кооператив «Фауна», и сюжет фильма посвящен заседанию членов кооператива. По территории, где идет строительство, должно пройти скоростное шоссе, в связи с чем необходимо сократить количество гаражей. На заседании пайщиков предстоит выбрать четырех «крайних». Но выбора, в общем-то, и нет — руководство кооператива (Аникеева и Сидорин) уже составило список сокращаемых, который собранию надо лишь утвердить.

Голосование «списком» прошло бы гладко и больной вопрос удалось бы решить, если бы не активное сопротивление ущемленных (Хвостов, Фетисов, Якубов, жена Гуськова) и вмешательство одной из пайщиц кооператива — младшего научного сотрудника института Елены Павловны Малае-

Кадр из сатирической комедии «Гараж»

вой (Лия Ахеджакова). Она решила, что правление поступило несправедливо и за каждого исключаемого из кооператива нужно голосовать отдельно.

Ко всему прочему оказывается, что кто-то из участников собрания похитил ключ, запер дверь и никто не может покинуть помещение. Раздраженным участникам затянувшегося собрания поневоле приходится выслушать предложение Малаевой и продолжить заседание. Разбирательство с деятельностью правления приводит к тому, что на свет выходят неприглядные факты. В состав кооператива были приняты «блатные» — люди, ставшие пайщиками кооператива за взятку или по протекции (директор рынка Кушакова и сын Милосердова). Обстановка накаляется, так как часть «блатных» и четверка «обделенных» отнюдь не собираются сдавать свои позиции, требуя свои гаражи. Когда же ключ наконец находят, появляется плохая новость — у Аникеевой угнали машину. Так как согласно уставу гаражного кооператива человек, не имеющий машины, не может быть членом кооператива, Аникеева выбывает из игры и покидает помещение. Остальные тянут жребий (бумажки из шапки), так как один человек все-таки лишний.

«Несчастливый билет» достается начальнику отдела насекомых, который проспал все собрание на чучеле бегемота. Играет эту роль-камео сам Эльдар Рязанов.

Для декораций к «Гаражу» был выбран зоологический музей, превратившийся в НИИ «Охраны животных от окружающей среды». Однако сами съемки проходили не в настоящем музее, а в павильоне «Мосфильма». Некоторые критики

сочли, что чучела животных намекают на не совсем человеческое поведение героев картины. Однако все было проще: Рязанов понимал, что действие будет полтора часа протекать в одном помещении, и надо внести в него какое-то разнообразие. Отсюда и летающее чучело какой-то хищной рыбы.

Все сцены «Гаража» снимали в хронологическом порядке, а съемочный период длился 24 дня. Снимали одновременно тремя камерами, и актерам, которые никогда не знали, кто из них окажется на первом плане, приходилось постоянно играть в полную силу, ни на минуту не выходя из роли.

Роль младшего научного сотрудника и матери-одиночки Елены Малаевой писалась специально под Лию Ахеджакову, которая в то время только начинала набирать популярность. А Валентин Гафт, играющий председателя гаражного кооператива, попал в «Гараж» совершенно случайно. Сначала Рязанов хотел снять в этой роли Александра Ширвиндта, но тот не смог приступить к работе из-за плотного театрального графика. Когда съемки уже начались, Лия Ахеджакова предложила Рязанову обратить внимание на Гафта, снимавшегося в это время в соседнем павильоне «Мосфильма».

Это не единственная случайность, связанная с актерами «Гаража». Ольга Остроумова, игравшая дочку профессора Смирновского, случайно зашла к Рязанову в поисках кого-нибудь, кто мог бы помочь ей устроить ребенка в детский сад. С детским садом режиссер помочь не смог, а роль в фильме дал. На съемках «Гаража» Гафт и влюбился в Остроумову, хотя Ольга в то время была замужем за Михаилом

Левитиным, а сам Гафт женат на балерине Инне Елисеевой. В 1996 году актеры поженились.

Андрею Мягкову в «Гараже» досталась роль лаборанта Хвостова, на почве простуды лишившегося голоса. Сам Рязанов признавался, что таким образом решил отомстить актеру. Еще за несколько лет до съемок «Гаража» Мягков имел неосторожность нелестно отозваться о стихах Рязанова «У природы нет плохой погоды». Как мы помним, режиссер предпочел скрыть свое авторство, выдав сочинение за произведение английского поэта Уильяма Блейка. Всем стихи понравились, а вот Мягков решил, что они недостаточно изящны, за что в следующем фильме Рязанова и поплатился голосом.

Несмотря на дар убеждения Рязанова, нашлись актеры, отказавшиеся сниматься в «Гараже». Алла Демидова не захотела играть наглую директрису рынка Кушакову (эта роль в итоге досталась жене Мягкова — Анастасии Вознесенской), а Вячеслав Тихонов — профессора Смирновского: он не верил, что такой «антисоветский» фильм сможет вообще выйти на экраны.

Этого боялся не только Тихонов, но и сам Рязанов. Уверенности в том, что картина сможет пройти процедуру сдачи в Госкино, не было ни у кого. Но накануне сдачи картины состоялся Пленум ЦК КПСС, на котором Брежнев потребовал беспощадно критиковать общественные недостатки. И оказалось, что «Гараж» как раз как нельзя лучше соответствует этому требованию. Публика приняла картину «на ура». И вот Ие Савиной фильм совершенно не понравился — правда, и роль ей досталась самая отталкивающая…

«Гараж». Съемочный процесс

Зато Георгий Бурков развернулся вовсю.

«...В «Гараже» мы с Брагинским писали роль Фетисова — крестьянина, у которого золотые руки, который бросил деревню ради города, — специально для Буркова. Какому еще артисту можно было доверить такую непростую реплику, как: «Я за машину родину продал!»? Каким положительным потенциалом должен был обладать артист, произносящий эти слова, чтобы вызвать смех, а не реакцию отвращения! И герою Буркова это оказалось дозволенным, потому что народность, простодушие и чистота исполнителя помогли избежать двусмысленности, заложенной в этой рискованной остроте. Через две фразы становилось ясно, что речь идет о родном доме в деревне, о месте, где он родился и вырос, а в неудачной формулировке повинно некое косноязычие. Но при любых поворотах сюжета Фетисов сочувствует обиженным, встает на их защиту, ненавидит человеческую накипь и ржавчину. У него народная смекалка, достоинство, внутренняя, естественная честность. Вся эта доброкачественность существует в Буркове-человеке. Идейная нагрузка, которая ложится на плечи персонажа Буркова, для фильма очень важна. Потому что вместе с действующими лицами, которых играют Л. Ахеджакова, А. Мягков, Л. Марков, Г. Стриженов, и образуется тот фронт человечности, который противостоит фронту мещанства, фронту «хватательных движений». Для меня участие Буркова в «Гараже» было вопросом принципиальности.

Его заменить на другого исполнителя я бы не смог. При
ином актере, не имеющем столь яркого положительно-
го обаяния, мог возникнуть своеобразный идейный пе-
рекос замысла...»[36]

Принимаясь за сочинение «Гаража», Рязанов с Брагинским
стремились чтобы все персонажи были узнаваемы. Заместитель председателя кооператива Аникеева (Ия Саввина) — тип
женщины-общественницы. Такие дамы, поднимаясь по карьерной лестнице, постепенно теряют женственность. Они по
законам особой, бюрократической моды. У них неплохо под-
вешен язык, они вооружены всеми приемами ханжества и де-
магогии. В сценарной ремарке соавторы обозначили Аникее-
ву «фельдфебель в юбке».

Член-корреспондент Академии наук Смирновский (Леонид Марков) — крупный ученый, с множеством званий и на-
град. Но за пределами науки его ничего не интересует.

Председатель правления Сидорин (артист Валентин
Гафт) — преуспевающий ветеринар, человек тертый, не
очень обремененный моральными принципами, но и не вовсе подлец.

Научный сотрудник Карпухин (Вячеслав Невинный) —
псевдоученый, делающий научную карьеру любыми способами.

Сын Милосердова и дочка профессора Марина (Игорь
Костолевский и Ольга Остроумова) — так называемые при-
вилегированные дети. Они красивы и умны, при этом достаточно циничны. Они чувствуют себя представителями луч-
шей части человечества.

Специалист по ядовитым змеям Елена Малаева (артистка Лия Ахеджакова) — одинокая женщина с ребенком на руках, верит в добро, справедливость, честность.

«Мне бы очень хотелось, чтобы «Гараж», который сфокусировал наши недостатки, устарел как можно скорее, — признается Эльдар Рязанов. — Здесь мои гражданские чувства преобладают над эмоциями художника, для которого естественно желание, чтобы его творение жило как можно дольше. Но — увы! — «Гараж» по-прежнему зеркало нашей неприглядной жизни...»

«О бедном гусаре замолвите слово»

> Пожалуй, в моей биографии нет более многострадальной картины, чем «О бедном гусаре замолвите слово...»
>
> *Эльдар Рязанов*

Через 19 лет после «Гусарской баллады» Рязанов вновь обращается к исторической канве в фильме «О бедном гусаре замолвите слово...» Ему все ближе жанр трагикомедии.

Между двумя «гусарскими» фильмами есть немалое сходство. Обе картины — о патриотизме. И в том и в другом показано благородство русской армии. В «Балладе» воспевается воинское мужество, в «Бедном гусаре» — гражданская доблесть. Но «Гусарская баллада» — героическая музыкаль-

Кадр из фильма «О бедном гусаре замолвите слово»

ная комедия с благополучным концом, а «Бедный гусар» — трагикомедия. Водевиль вдруг превращается в драму, заканчивается смертью одного героя и ссылкой другого.

Сценарий «О бедном гусаре» писался не с Брагинским, а с новым соавтором — Григорием Гориным, драматургом, рассказчиком и юмористом. Его пьесы «Забыть Герострата», «Тиль», «Самый правдивый» ставились с успехом во многих театрах. У Горина уже был опыт совместной работы с Аркановым, как и у Рязанова с Брагинским, так что альянс оказался успешным.

Рязанова привлекал пушкинский период истории России и вообще XIX век. В то время самые благородные характеры существовали на фоне отпетых подлецов. Третье отделение, возглавляемое Бенкендорфом, вело наблюдение за всеми самостоятельно мыслящими, а значит неблагонадежными людьми.

«...Если помните, Герцен, Огарев и их друзья были сосланы не за то, что создали «тайное общество», а за то только, что могли бы его создать. Вдумайтесь в формулировку: не создали, но могли бы создать! Так сказать, теоретически! Обречь на тюрьмы и ссылки молодых, пылких юношей, которые ничего не сделали против правительства, а лишь возмущались в своей узкой компании несправедливостью, — вещь естественная для царского правительства России. (И для последующих правительств — тоже!)»[37]

Рязанов часто думал о том, как Достоевского с петрашевцами 16 ноября 1849 года приговорили к расстрелу и отменили приговор в последнюю минуту, когда уже был зачитан первоначальный приговор о смертной казни. Эпизод с имитацией казни, конечно, в преломленном виде, отразился в «Сценарии». Но Рязанов не хотел снимать трагедию в чистом виде. И они с Гориным решили написать сценарий так, чтобы «было в одно и то же время озорно и страшно, весело и трагично, бесшабашно и горько. Мы только потом поняли, что взяли старт там, где по традиции финиширует русский водевиль. Ведь, если вдуматься, все персонажи нашего сочинения заимствованы, по сути, именно из водевиля. Здесь и провинциальный трагик, и его дочь-дебютантка, и молодой оболтус-гусар, и зловещий негодяй, и плут слуга, и благородный полковник. Эти персонажи — почти маски, кочующие из одной веселой пьесы в другую. Но только там, где обычно водевиль благополучно кончается, мы начали свой рассказ и повели его совсем в другую сторону».

Соавторы решили рассказать о двух сторонах медали, двух торонах русской жизни: разудалой, гусарской, жизнерадостной и жандармской, темной и страшной. Так смешались два жанра.

Сюжет начинается с того, что в город Губернске расквартировались гусары, приведя в восторг дам и смутив мужей. Вскоре неизвестный «верный человек» прислал «сообщение» самому государю. В доносе говорилось, что «пятеро гусар... не одобряли существующие порядки, порицали действия государя и так саркастически выражались о нем самом и

его матушке, что по оскорбительности получается просто неслыханная картина...» Из-за пьяной гусарской болтовни в Губернск отряжается чиновник по особым поручениям Мерзляев (в блестящем исполнении Олега Басилашвили).

Благонадежность гусар Мерзляев решает проверить на расстреле псевдобунтовщика, провинциального актера Бубенцова. Пистолеты заряжены холостыми патронами. Гусар, который откажется выстрелить в бунтовщика, следовательно, сам неверен государю и Отечеству. Но служака-полковник восстает против такого плана и пытается разрушить интриги жандарма-любителя.

Молодой гусар Плетнев, влюбленный в дочь Бубенцова Настеньку (Ирина Мазуркевич), отпускает на свободу мнимого бунтовщика, не подозревая, что он актер. Глуповатый, но благородный Плетнев верит в прекрасные фразы, которыми Бубенцов его провоцирует.

Но игра Мерзляева становится противна и самому Бубенцову. Когда Мерзляев отдает ему заряженный пистолет и предлагает покончить с собой, чтобы снять грех с гусар, он направляет себе в сердце пистолетное дуло и спускает курок. Он не знает в этот момент, каким патроном заряжено оружие — холостым или настоящим. Не выдержав напряжения, он умирает от разрыва сердца.

В чем же для нас с Гориным современность нашего фильма? О чем наша картина? В первую очередь — о выборе, который рано или поздно должен сделать каждый мыслящий человек в собственной жизни. О выборе между выгодным и честным, между безопасным и благородным, между бессо-

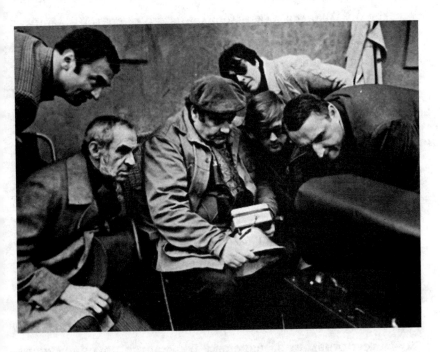

Волнительный процесс съемок

вестным и нравственным. Чудовищная проверка, затеянная авантюристом Мерзляевым, ставит всех персонажей фильма перед этим выбором.

Фильм делался для телевидения, но оператор Владимир Нахабцев и художник Александр Борисов решили, что съемки будут масштабными — с массовками, кавалерией, декорациями и костюмами. Невероятность сюжета должна была искупаться достоверностью съемки, воссозданием живой среды.

Олег Басилашвили, Георгий Бурков, Валентин Гафт и Зиновий Гердт были выбраны Рязановым для съемок еще во время сочинения сценария. Кандидатура Евгения Леонова на роль Бубенцова возникла в самом начале подготовительного периода. Искали в основном молодых исполнителей — Настеньку и Плетнева. После долгих поисков и кинопроб группа утвердила Ирину Мазуркевич из ленинградского театра имени Ленсовета и Станислава Садальского, работавшего тогда в московском «Современнике».

Молоденькая актриса Бубенцова в сценарии все время мучается, страдает за папеньку и является покорной жертвой сладострастных поползновений Мерзляева. Ирина Мазуркевич сделала Настеньку более лукавой и решительной.

«...В роли был один пикантный момент, на котором «спотыкались» другие кандидатки. В сцене с Мерзляевым в тюрьме Настя, чтобы спасти отца, готова на все, даже на потерю девической чести. Пытаясь понять истинные намерения Мерзляева, играющего с ней, как кот с мышкой, она то расстегивает пуговки своего пла-

тья, то лихорадочно застегивает их опять. Так вот, некоторые претендентки расстегивали пуговки так, что становилось ясно: это занятие для них довольно привычно. Сохранить в такой скользкой сцене чистоту, непосредственность и наивность удалось только Мазуркевич»[38].

Молодой Станислав Садальский был очень импульсивен, быстро и легко возбудим. Таких называют артистами первого дубля. Темпераментному артисту с прекрасной интуицией требовался хороший режиссер. И в руках Рязанова он был мягкой глиной.

Евгений Леонов-Бубенцов очень точно показал, как в Бубенцове уживается человеческое и актерское. Войдя в роль бунтовщика, «карбонария», Бубенцов вдруг сам начинает верить в свою игру, актерская личина становится его настоящим лицом.

В сценарии Рязанов с Гориным придумали условный прием, напоминающий современные интервью: исполнители, глядя в объектив, рассказывают о том, что случилось с ними впоследствии, за пределами фильма. Многие из них сообщают, не только как сложилась их будущая жизнь, но и как они погибли. Прощальные интервью снимались на фоне уходящего из города полка. Гусары покидают город, а в это время зритель узнает, что приключилось с героями в дальнейшем. Рассказ Бубенцова не стали снимать — он погибал на глазах зрителя.

Плетнев рассказывал о себе: «За сочувствие к заговорщику и нарушение воинской дисциплины был сослан на Кавказ. Потом отставка. Растил детей. В Плетневке с тоски стал

читать. Оказалось, увлекательное занятие. Путешествовал по заграницам. В Италии не сдержался, примкнул к гарибальдийцам. В схватке погиб. Итальянцы меня уважали, похоронили около Рима с почестями...» Говорил Садальский в солдатской форме пехотинца, подчеркивающей его жалкий вид, особенно после красот гусарского мундира, в глазах его стояли слезы, а потом его увозила жандармская бричка. Но перед этим гусары, проезжая мимо разжалованного товарища, салютуют ему.

Но вот лента отснята и готова к выпуску на экран. Но этому предшествовали долгие мучения Рязанова, пытавшегося пробить ее сценарий. На материале николаевской России легко просматривались провокации и репрессии сталинских времен, что в те годы было запрещено. Рязанов носил сценарий от чиновника к чиновнику, а ответа — выйдет фильм или нет — так и не получал. Наконец он отнес сценарий А. В. Богомолову, главному редактору Кинокомитета. Через неделю Богомолов сообщил, что фильм не нужен — картин «на историческом материале» уже много.

В сердцах Рязанов забрал сценарий и сказал Богомолову: «Сценарии о чести и совести вам действительно не нужны, их у вас навалом!» И отнес сценарий С. Г. Лапину на телевидение. Лапин был образованным, тонким и умным человеком, но по долгу службы не пропускал ничего, что могло бы стоить ему высокого поста. Он обещал прочитать сценарий, но в семье у него случилось ужасное несчастье — в неисправном лифте погибла дочь. После этого Рязанов уже не ре-

«О бедном гусаре замолвите слово». Афиша

шался его беспокоить и считал, что «Гусара» никогда не увидит зритель. Но фильм все же разрешили — его должно было ставить творческое объединение «Экран».

Но фильм находился под неусыпным надзором. Поправки и замечания сыпались регулярно, во время подготовительного периода картину дважды закрывали. Чиновники из Госкино систематически «сигнализировали» в разные высокие инстанции — почему телевидение ставит то, что отвергло Госкино по идеологическим соображениям? Учреждения были конкурирующими, и в их битве доставалось и фильму.

В конце декабря 1979 года сценарий был закончен, а 28 декабря начались военные действия в Афганистане. Встал вопрос о закрытии «Гусара» — из-за того, что в картине очернено Третье отделение!

«...Господи! Думал ли Бенкендорф, что через сто с лишним лет его честь будут защищать коммунисты, руководители советского телевидения, активные «строители социалистической России»!

Конечно, забота о «третьем отделении» была понятна: руководители «Экрана» до смерти боялись огорчить ведомство, расположенное на площади Дзержинского. Они не понимали, что, ставя знак равенства между «третьим отделением» времен царизма и нынешней госбезопасностью, они выдавали себя с головой. Они, конечно, угадали наши намерения и стремились, обеляя николаевскую жандармерию, вступиться тем самым за КГБ»[39].

Перед Гориным и Рязановым встала задача — либо обелить в сценарии жандармское «Третье отделение», либо найти какой-то хитрый выход, чтобы сюжетная интрига двигалась, но «тайная канцелярия» как бы была ни при чем. Министр телевидения Сергей Георгиевич Лапин сказал Рязанову: «Обстановка сейчас не для комедий, международная обстановка осложнилась. В Афганистане идет война. Зачем нам в военное время фильм о том, как жандармы проверяют армию?» Надо было либо все бросать, либо выбрать меньшее из зол. И соавторы решили сделать Мерзляева штатским, не профессиональным блюстителям порядка, а любителя, стукача по вдохновению. Мерзляеву присвоили графский титул, чин действительного тайного советника и должность «чиновника по особым поручениям». Тайного осведомителя Третьего отделения, платного агента Артюхова, которого играл Бурков, сделали личным камердинером графа. По новому сценарию он занимается провокациями лишь потому, что ему обещана «вольная». В «заточении» Бубенцов в первоначальном варианте декламирует Лермонтова «Прощай, немытая Россия», в переработанном сценарии — «Сижу за решеткой в темнице сырой».

После всех этих мучительных переделок Рязанову сообщили, что фильм все-таки закрывают. Но Рязанов не сдавался, продолжал обивать пороги — и картину вернули в производство.

«...Обсуждений, пока писался сценарий и снималась картина, было немало. На каждом из них мы несли потери, теряли реплики, сцены, ситуации, вещь выхолащива-

лась, становилась более аморфной, беззубой, упрощен-
ной. Ни на одном из обсуждений мы ничего не приобре-
ли, мы только проигрывали. Война велась с неизменным
нашим поражением. У нас оставалось только одно пра-
во, к которому, в конце концов, и свелась вся эта длинная
битва с телевидением, — право довести картину до кон-
ца. Мы отдавали многое, лишь бы уцелела картина. Те-
перь нас, конечно, легко осуждать... Картина ухудшалась
на глазах, но все равно для руководителей телевидения
она оставалась персоной «нон грата»...»[40]

После первого просмотра чиновниками в ноябре 1980 года придрались к трагическому финалу. Актер Бубенцов, по их мнению, не должен умирать. Тогда Рязанову удалось отстоять концовку. Премьера была назначена на 1 января. В ленте осталось немало едких реплик, многие сцены вызывали ассоциации с современностью. Все плохое, казалось, осталось позади. Но оказалось, что без ведома Рязанова за несколько дней до премьеры на телевидении из ленты все же вырезали несколько эпизодов, в том числе смерть Бубенцова. Зрителю в результате купюры становилось неясным, умер ли Бубенцов.

Фильм показали в неуместное время — 1 января люди ждут новогодние комедии в духе «Иронии судьбы». Массовые зрители «Гусара» практически не заметили, за исключением небольшой части интеллигенции. Были прекрасные отзывы, письма, телеграммы, звонки с восторгами и благодарностью, добрые отклики Булата Окуджавы, Людмилы Петрушевской,

Министр телевидения СССР С. Г. Лапин

Бориса Васильева, Станислава Рассадина, Игоря Ильинского, Андрея Вознесенского. Газеты практически промолчали.

Рязанов и Горин надеялись на повторный показ. Но фильм лег на полку на долгие годы. Как намекнули Рязанову, фильм в свое время не понравился Андропову, который тогда возглавлял КГБ. Но Андропова сменил Черненко, а ситуация не изменилась. По словам Рязанова, «у нас в стране заклятия, как правило, переживают того, кто их произнес. Сколько я знаю случаев в нашей истории, когда фильм или книгу, запрещенные каким-либо руководителем, продолжали скрывать от народа, несмотря на то, что запрещающий давно был снят с работы, доживал свои дни в безвестности или же умер и забыт. Однако их запреты неукоснительно действовали. На кладбище неизданных книг, не выпущенных спектаклей, не пошедших фильмов становилось все более тесно...»

Но наступило все-таки другое время. 4 января 1986 года фильм «О бедном гусаре замолвите слово...» показали по телевидению по первой программе, без каких бы то ни было хлопот Рязанова. Пять лет фильм пролежал на полке...

И снова о любви — «Вокзал для двоих»

«Вокзалом для двоих», по словам Рязанова, как бы замыкается трилогия, в которую входят «Ирония судьбы» и «Служебный роман». Снова два не очень молодых и не очень счастливых человека находят друг друга, и знакомство их начинается ссорой и взаимной неприязнью.

На сей раз герои были погружены в другую социальную среду, другую обстановку. Местом действия стали привокзальный ресторан, железная дорога, исправительно-трудовая колония, рынок. В качестве персонажей выступали не служащие или научные работники, а официантки, железнодорожные проводники, привокзальные хулиганы, милиционеры, рыночные торговцы. Исключением был лишь главный герой Платон Рябинин, пианист столичного оркестра. Героиню, официантку привокзального ресторана, символически назвали Верой.

Платон едет на поезде Москва — Алма-Ата в город Грибоедов. На промежуточной станции Заступинск он заходит пообедать в привокзальный ресторан. Комплексный обед настолько омерзителен, что Платон решает уйти, но официантка Вера требует оплаты и, несмотря на возражения, не выпускает Платона из ресторана. В результате скандала он отстает от поезда.

С проходящим составом к Вере приезжает ее любовник, проводник Андрей. Он привозит два чемодана дынь, чтобы Вера продала их на местном рынке. Андрей уединяется с Верой в купе, попросив Платона постеречь дыни и в залог забрав у него паспорт. Стоянку поезда сокращают, Андрей в суматохе увозит паспорт Платона. Таким образом, Платон не может сесть на следующий поезд и вынужден остаться в Заступинске на два дня, пока Андрей на обратном пути не вернет ему паспорт.

В течение дня Платон и Вера несколько раз пересекаются на вокзале. В конце концов они мирятся. Вечером Вера опаздывает на последний автобус и вынуждена ночевать на вокзале, разделив с Платоном «царский» ужин — доставшиеся ей остатки свадебного банкета. Ночью вор-карманник вытаскивает у спящего Платона бумажник. Чтобы как-то перебиться, Платон вынужден торговать на рынке дынями Андрея по спекулятивной цене. Вечером он приглашает Веру в привокзальный ресторан. На ужин он зарабатывает, играя на пианино с великодушного разрешения местного «лабуха» Саши.

Платон показывает Вере свою жену, ведущую прогноза погоды по телевидению, и рассказывает, как она, управляя автомобилем, насмерть сбила человека, а он взял ее вину на себя, сказав, что за рулем находился он. Теперь Платон ждет суда, дав подписку о невыезде, а в Грибоедов поехал, чтобы повидать тяжело больного отца, которого боится не застать в живых после освобождения.

Ночь Платон и Вера проводят в купе отцепленного вагона, стоящего в депо.

На следующее утро приезжает Андрей и возвращает Платону паспорт. Вера разрывает отношения с Андреем. Между ним и Платоном происходит драка, но хваткий Андрей улаживает конфликт с милицией и уезжает.

Вера покупает Платону билет на поезд. Затем сообщает, что связалась по телефону с женой Платона (ранее Платон дал ей свой домашний номер), чтобы убедить ее не губить жизнь другого человека, но жена Платона заявила, что она вообще не умеет водить машину. Вера провожает Платона на поезд...

Кадр из культового фильма «Вокзал для двоих»

Морозный зимний вечер. В исправительно-трудовой колонии где-то в Сибири проходит вечерняя поверка. По окончании поверки заключенному Платону Рябинину сообщают, что к нему приехала жена и сняла комнату в поселке в десяти километрах от ИТК, и велят зайти в местную мастерскую за аккордеоном. Платон приходит в поселок, забирает аккордеон и нехотя идет на свидание с женой, но обнаруживает, что на самом деле к нему приехала Вера.

Утром ни Платон, ни Вера не слышат звонок будильника. Когда они просыпаются, до начала поверки остается всего 1 час 20 минут. Платон вынужден с аккордеоном бежать до колонии десять километров, Вера бежит с ним. Уже виден лагерный забор и вышки, но Платон выбивается из сил и падает на дорогу. Вера велит ему играть на аккордеоне. На тюремном дворе слышат игру Платона и засчитывают ему прибытие на утреннюю поверку.

История человека, взявшего на себя вину в дорожном происшествии, списана с композитора Микаэла Таривердиева и его возлюбленной, актрисы Людмилы Максаковой. Таривердиев был осужден на два года, но поскольку следствие, а затем и суд длились два года, композитора освободили по амнистии. Людмила Максакова утверждала, что за рулем сидел именно Таривердиев. История с опозданием из увольнения тоже взята из жизни: в 1953 году поэта Ярослава Смелякова, отбывавшего наказание в лагере, отпустили на встречу с друзьями за несколько километров от зоны. Наутро он проспал подъем и не успевал на поверку, так что друзья помогали ему добраться до места.

Съемки начались с эпизодов, которые обрамляют фильм и происходят в исправительно-трудовой колонии. Снимали в настоящей колонии, где за колючей проволокой находились заключенные.

«...Когда писались сцены жизни колонии, я не был знаком с бытом подобных заведений. Прежде чем описывать, мы интересовались подробностями и деталями у людей, которые прошли через эту страшную школу жизни. Но недаром говорят: лучше один раз увидеть, чем сто раз услышать. Когда я приехал в колонию и увидел этих наголо остриженных людей в черных ватниках и зимних шапках на «рыбьем» меху, я испытал ужас, почти физическое ощущение ожога. Я понимал, что это уголовники, преступники, люди, повинные в злодеяниях, но чувство горя, беды, сострадания, сердечной боли за них не покидало меня. Потом, когда начались съемки и мы ежедневно общались с заключенными, эти переживания притупились. Человек ко всему привыкает. Но первое впечатление, когда просто оборвалось сердце, — чувство несчастья, обездоленности, скорби — легло в основу съемок эпизодов.

Каждый натурный кадр мы снимали на фоне северного яркого солнца, которое залепляло объектив кинокамеры, создавая впечатление холода, заброшенности, оторванности, надмирности. Многие кадры в интерьерах колонии мы снимали, направляя аппарат на сильные голые электрические лампочки, которые подчерки-

вали неуют, казенность, неустроенность. Нам хотелось заставить зрителя испытать хоть в какой-то мере те же горькие, трагические эмоции, которые пережили мы при встрече с этой печальной стороной жизни.

Исполнитель роли Платона Олег Басилашвили, которого мы одели в подлинный костюм заключенного, сняв его с одного из узников, сказал мне:

— Ты знаешь, я не могу ничего играть, находясь в этой среде. Что-то изображать рядом с теми, кто подлинно несчастен, кто отбывает наказание, — святотатство!

И действительно, Басилашвили влился в массу заключенных и старался не выделяться из них, ни в чем не показать, что он артист, что он играет, то есть притворяется»[41].

Съемки бега героев к утренней поверке происходили в морозные дни, при температуре около тридцати. Артисты спотыкались, падали, вставали, снова валились, ползли по снежной дороге, изнемогали от усталости по-настоящему. У Гурченко после съемок были разбиты обе коленки.

В процессе съемок выяснилось, что немало реплик, словесных перепалок, фраз сказаны ради красного словца и не отражают при этом правду характеров, социально неточны. Соавторы недостаточно знали социальную среду, в которой снимали. И тут неоценимую услугу оказала Людмила Гурченко, знавшая провинциальную русскую жизнь не понаслышке. Она играла женщину окраины, но в какой-то степени и сама была ею.

Эльдар Рязанов и Людмила Гурченко обсуждают роль

Никита Михалков в роли железнодорожного проводника Андрея — жлоб, напористый и энергичный. При его общительности, плутовстве, обаянии ему все сойдет с рук. Платон Рябинин в исполнении О. Басилашвили — его антипод. Он мягкий, добрый, но не трус. При всей своей мягкости, не поступается ни честью, ни совестью. Вера, соприкоснувшись с Платоном, покорена его благородством. Платон благодаря Вере познает простые радости маленьких людей. Вульгарная, грубая официантка приезжает на север, чтобы быть рядом с любимым. В этом фильме Гурченко развернулась во всю мощь своего актерского таланта.

РАБОТА В «КИНОПАНОРАМЕ»

Помимо съемок, Эльдар Рязанов с 1979 года был ведущим знаменитой «Кинопанорамы». Предложение стать ведущим поступило из редакции «Кинопанорамы». Рязанов охотно согласился: он и сам во время просмотра телепередач прикидывал, каким бы ведущим мог стать, что сделал бы по-другому, а что оставил как есть.

«...Не стану скромничать, на телекамеру я не обращал никакого внимания. Ее присутствие, нацеленный на меня огромный блестящий глаз почему-то не повергал меня в смущение и не мешал чувствовать себя самим собой. Думаю, это происходило в какой-то степени оттого, что меня ласково встретили работники передачи и сделали все, чтобы я ощущал себя как дома. А с другой стороны, я хотел показать народу, как надо вести передачу, хотел «утереть нос» всем ведущим всех передач!

Потел я сильно, не только в переносном смысле, но и в прямом. Во-первых, было жарко от осветительных приборов, во-вторых, от напряжения. Все-таки я впервые вел передачу. Мне сразу же подсунули написанный кем-

то текст. Началась съемка первого дубля. Я покорно попробовал прочитать текст, делая вид, что не заглядываю в него, но чужие слова застревали в горле и в моем исполнении звучали очень неестественно. Я взбунтовался, отложил текст и начал говорить обо всем не только своими словами, но и своими мыслями. Создатели передачи помогали мне. Иногда они укрощали некую мою развязность (это шло оттого, что мне очень хотелось быть свободным, раскованным); порой боролись с моими жаргонизмами, которые я нарочно вставлял и вставляю в свою речь, так как считаю, что нужно разговаривать живым, современным, а не дистиллированным языком. Кроме того, я стремился, чтобы в передаче были не монологи, плохо связанные друг с другом, а диалог. Поэтому беспрерывно перебивал гостей передачи, не давая им высказаться. Желание поделиться своим опытом, рассказать об историях, случившихся со мной, очень выпирало. А для ведущего подобное поведение опасно. Оно выглядит нескромностью. И здесь, как это ни печально, надо давить свое творческое «я». Да, давить, но тем не менее не до конца. Правда, все это я понял не сразу, а потом. После того как себя увидел...»[42]

По мнению Рязанова, телеэкран «раздевает» человека, обнажая его глубинную сущность. Объектив телекамеры вытаскивает наружу то, что человек пытается скрыть. Единственное средство спасения — оставаться самим собой. И Рязанов старался оставаться собой по мере сил.

Заставка к ТВ-передаче «КИНОПАНОРАМА»

Проведя несколько «Кинопанорам» и получив уйму писем, ведущий Рязанов понял, что зрители больше всего ценят непосредственность и способность к импровизации. Лучше всего передача получалась, если он вел ее усталым, после тяжелого дня на «Мосфильме». Тогда он совершенно забывал о том, какое производил впечатление.

После одной из таких передач, когда у Рязанова от утомления под глазами были синяки, он получил письмо от зрительницы: «...Мне нравится, как Вы ведете „Кинопанораму“, я люблю многие Ваши фильмы, но Вы производите впечатление сильно пьющего человека! Подумайте, что Вы делаете! Алкоголь разрушает здоровье, губит людей. Остановитесь!» Рязанов ответил на письмо кратко, но доходчиво: «Я не пью, я ем!» Автор другого письма лучше разглядела проблему Рязанова и прислала свои рекомендации. «...Может, я буду немного грубо выражаться, прошу заранее меня простить. Кто Вам позволил сделать такие запасы? Кто позволил хищнически стать против своего здоровья? Вам не стыдно иметь такой живот? Руки уже у Вас не сходятся на животе. Вы такой хорошенький мужичок и ставите такие отличные фильмы, и тут такое!» Рязанов вспоминает, что прочитав письмо, он был тронут заботой незнакомой корреспондентки по имени Мария, но в то же время его живот колыхался от смеха...

До 1987 года Рязанов с удовольствием работал на телевидении. Но после скандала из-за уродливой редактуры его собственного юбилейного (декабрь 1987 г.) творческого вечера и вмешательства телевизионных чинуш в программу «Четыре вечера с Владимиром Высоцким» (январь 1988 г.)

отношения испортились. Окончательно они прервались после статьи Рязанова в «Огоньке», опубликованной в апреле 1988 года, — «Почему я в эпоху гласности ушел с телевидения». После этого он стал на телевидении персоной нон грата. Но спустя три года Рязанов все-таки вернулся.

Ирен Лесневская, редактор «Кинопанорамы», организовала частную телевизионную компанию — REN TV. Понимая, что телекомпании нужны опытные и известные ведущие, она пригласила Рязанова, популярного Владимира Молчанова, позднее — Юрия Никулина и Григория Горина (цикл передач «Клуб белого попугая») и Юрия Роста («Конюшни Роста»).

Рязанову была предоставлена полная свобода. Он создал цикл «Восемь девок — один я», в котором рассказывал о своих любимых актрисах, с которыми работал. Потом появилась программа об уличных музыкантах Москвы. Позднее образовался постоянный цикл «Разговоры на свежем воздухе» — встречи с писателями. Среди них были Василий Аксенов, Борис Васильев, Юрий Левитанский, Булат Окуджава, Владимир Кунин, Евгений Евтушенко, Давид Самойлов...

В сериале «Комики двадцатого столетия» Рязанов рассказал о жизни и творчестве великого Чарли Чаплина. Благодаря ему зритель вспомнил давно забытого комика немого кино Бастера Китона. Рассказал Рязанов и о трагической судьбе драматурга Николае Эрдмана.

Под маркой REN TV с участием Рязанова вышли разные новеллы. «Загадка Л.Ю.Б.» — история жизни Лили Брик. Близкий друг Рязанова Василий Катанян, пасынок Лили Брик, был вдохновителем и участником этой программы. Трехсе-

рийная программа «Человек-праздник» была посвящена семидесятилетию великого режиссера и художника Сергея Параджанова. Передача строилась как празднование дня рождения Параджанова. Снимали в комнате, где по стенам были развешаны его картины, коллажи, стоялим его личные вещи. За столом собрались все друзья Параджанова. И только одно место — уже умершего виновника торжества — было свободно. Туда поставили полную рюмку, накрытую ломтем хлеба. Алла Демидова, Василий Катанян, Белла Ахмадулина, Владимир Наумов, Александр Атанесян рассказывали все забавные байки из жизни Параджанова.

Потом были «Шесть вечеров с Юрием Никулиным», после этого — «Частная жизнь Александра Анатольевича» — рассказ об Александре Ширвиндте, которого связывала с Рязановым многолетняя дружба. Поводом стало шестидесятилетие Ширвиндта, главного остряка страны.

А о самом Рязанове Ирен Лесневская сняла юбилейную передачу «Необъятный Рязанов» — к его шестидесятипятилетию. Через два года Елена Красникова выпустила в эфир ток-шоу «Попался, голубчик», где Рязанов был «жертвой».

«...Телекамерой были заранее сняты вопросы, обращенные ко мне. Задавали эти вопросы мои друзья. Нюанс заключался в том, что я не знал, кто спрашивает и о чем. Я приготовился к каверзным вопросам и пришел, вооружившись на всякий случай своей пластинкой со стихами и песнями на мои стихи, а также книгами. Я чувствовал себя неуверенно, вспоминал Петра Первого, который за-

«Кинопанораме – 20 лет».
Кадр из передачи

претил боярам выступать по бумажке, «дабы дурь каж-дого видна была». Наконец истязание началось. Я уселся перед телевизионной камерой, мне запустили монитор. Я смотрел, слушал очередной вопрос и немедленно отве-чал. Как это прошло, не мне судить...»[43]

В феврале 1993 года решили сделать передачу к Восьмо-му марта, посвященную Наине Ельциной, первой леди Рос-сии. Наина Иосифовна не была медийной персоной, извест-ности не любила и редко появлялась на публике. REN TV связалось с пресс-службой Ельцина. Но в это время умирала мать президента, и съемки не состоялись.

Когда Рязанов, уже забыв о предполагаемом интервью, занимался циклом «Белоснежка и семь гномов», героями ко-торого были популярные телевизионные ведущие, позвонил председатель телекомпании «Останкино» Брагин. Он предло-жил Рязанову срочно заняться передачей о Наине Ельциной.

25 апреля в России намечался референдум. В случае по-ражения Ельцина к власти могли бы прийти, как объяснили Рязанову, реакционные силы. Героиня передачи Наина Ель-цина должна была понравиться зрителям. Рязанов не хотел возвращения советского строя, но опасался, что Наина Ио-сифовна ему не понравится, и он не сможет переломить себя. Поэтому он ответил, что сначала должен познакомиться со своей героиней.

На следующий вечер его пригласили в семью президен-та. Наина Иосифовна произвела на Рязанова прекрасное впе-чатление — искренняя, добрая, заботливая, без малейшей за-

носчивости. И он решил сделать передачу. Она вышла в эфир дня за четыре до референдума добавила немало голосов в пользу Ельцина. Жена президента вела себя перед телекамерой естественно, органично, откровенно и произвела на зрителей самое хорошее впечатление.

Рязанов хотел снять передачу уже с самим Ельциным, но это осуществилось не сразу.

ЭПОХА ПЕРЕМЕН

«Жестокий романс»

К моменту окончания съемок «Вокзала для двоих» стало ясно, что перемены в обществе и государстве неизбежны. К власти пришел Андропов, и никто из чиновников не знал, куда он повернет руль государственной машины. Рязанов, пытающийся пробить фильм «Дорогая Елена Сергеевна», решил повременить и поставить классику.

По совету жены он перечитал «Бесприданницу» Александра Николаевича Островского. Фильм был давно и удачно экранизирован великим Яковом Протазановым, но Рязанов видел его по-своему.

«...Признаюсь, я прочитал ее [пьесу] как вещь свежую. Память моя тогда не была отягощена дотошным знанием пьесы, историей ее создания, литературоведческими изысканиями. И фильм прошлый тоже скрывался для меня в тумане времени. В памяти сохранилось только несколько ярких моментов: шуба, брошенная в грязь, романс «Нет, не любил он...» да символическая смерть

«Жестокий романс». Афиша

героини у качающихся цепей. Поэтому впечатление от пьесы было непосредственное, не загруженное никакими представлениями, штампами, знаниями. Мой контакт с пьесой можно было охарактеризовать — я не боюсь этого сказать — как первозданный. Пьеса мне очень понравилась. И я решил: ее надо ставить. Прочитать «Бесприданницу» свежими глазами и на материале вековой давности рассказать о волнующих нас и сегодня страстях и человеческих взаимоотношениях казалось интересным и заманчивым»[44].

Рязанов сразу увидел в Паратове Никиту Михалкова, а в Карандышеве — Андрея Мягкова. Разрешение на повторную экранизацию он получил довольно легко. Но тут ему предстояло выйти за рамки привычного метода. Двадцать лет он писал вместе с соавторами, а потом, по его выражению, «переводил собственное произведение с литературного языка на экранный». Теперь предстояло ставить известную классическую пьесу, да еще успешно экранизированную 47 лет назад другим классиком — Протазановым.

«Бесприданница» Протазанова, хотя и была звуковой картиной, но делалась в стилистике немого кино. Длинная пьеса была уложена в одну серию. «Бесприданница» снималась, когда звуковое кино делало только первые шаги. И вся стилистика немого — бурная жестикуляция, чрезмерная мимика — были ей свойственны в полной мере.

В картине Рязанова звуковая часть играет очень важную роль, к чему обязывает и название. «Жестокий романс» стал

восьмой совместной работой Рязанова с Андреем Петровым. Благодаря ему весь фильм действительно зазвучал как один большой романс. Музыкальная и звуковая среда помогла создать атмосферу картины. Есть в ней и цыганский надрыв — наряду с песней Паратова на стихи Киплинга и цыганской пляской, сочиненными Андреем Петровым, в картине звучат и народные цыганские мелодии.

На главную роль Рязанов выбрал студентку последнего курса Ленинградского института театра, музыки и кинематографии Ларису Гузееву. И хотя работа с ней не была легкой, он остался доволен ее работой.

«...У Ларисы привлекательное лицо, огромные глаза, стройная фигура, и в ней существует какая-то, я бы сказал, экзотичность, которая не могла помешать в этой роли. Лариса музыкальна. Не все в ней, конечно, устраивало, не во всем я был уверен, когда утверждал Гузееву на роль, но полагался на себя и на великолепных актеров, которые ее будут окружать во время съемок. Надо сказать, что прежде Лариса никогда не снималась, не имела никакого кинематографического опыта и вообще актерской профессией (не в обиду институту) практически не владела. Ей присущи многие качества, необходимые для лицедейства, но, честно говоря, намучились мы с ней немало. Все актеры — партнеры героини — проявили великолепную солидарность, доброе отношение к молодой артистке, поддерживали ее, ободряли, делились своим опытом и как бы всегда пропускали ее вперед. Поначалу ее профессиональное невежество было поистине безгра-

нично, но, когда снимались последние эпизоды, работать с ней стало значительно легче; Лариса оказалась девушкой восприимчивой и трудолюбивой. ...Лариса Гузеева сыграла свою роль, как говорится, «на полную катушку», не жалея нервных клеток, слез, чувств. Она, конечно, вкладывала в роль свои личные горести, несчастья, которые ей довелось испытать, несмотря на молодость. Все трагические сцены, которые она, с моей точки зрения, сыграла с высочайшим накалом, — это не результат актерского умения, не итог мастерства, а ее личная, горестная исповедь»[45].

«Жестокий романс» — попытка Эльдара Рязанова выйти за пределы комедийного жанра. Несмотря на зрительский успех, фильм вызвал гневную отповедь со стороны литературно и театрально ориентированных критиков, обвинивших его создателей в опошлении исходной пьесы и в глумлении над русской классикой. По мнению критиков, история Ларисы Огудаловой была трактована Рязановым в духе «Мадам Бовари». К тому же Лариса по сценарию проводит ночь с «обаятельным русским плейбоем» Паратовым, после чего ей стреляет в спину истеричный Карандышев. Авторитетный в то время кинокритик Евгений Данилович Сурков опубликовал в «Литературной газете» разгромную статью, где возмущался тем, что экранная Лариса «попела, поплясала с гостями, а потом пошла в каюту к Паратову и отдалась ему»[46].

Нападали и на молодую начинающую Гузееву, игра которой якобы потерялась на фоне Михалкова и Фрейндлих.

Кадр из фильма «Жестокий романс»

Известный литературовед Дмитрий Урнов сетовал, что «вместо разоблачения паратовской пустоты» в фильме дана «пусть умеренная, ее апология», что в нарисованной Рязановым картине мира нечего противопоставить искушению «сладкой жизни». Михалков-Паратов не считал своего героя отрицательным: «Лариса не жертва расчетливого соблазнителя, а жертва страшной широты этого человека», — заметил он. Через какое-то десятилетие выяснилось, что, изображая губительную власть денег над людьми, Рязанов запечатлел на кинопленке «почти пророческое предчувствие новорусской эпохи»[47].

Жюри международного кинофестиваля в Дели под председательством знаменитой Жанны Моро присудило главный приз «Золотой павлин» «Жестокому романсу». Для Рязанова, попавшего на родине под непонятный огонь критики, это было особенно важно.

В отместку критикам Рязанов дал имя Суркова отрицательному персонажу своего следующего фильма «Забытая мелодия для флейты» (Евгения Даниловна Сурова, роль Ольги Волковой).

«Забытая мелодия для флейты»

Рязанов давно планировал снять фильм по пьесе «Аморальная история», которую он написал в соавторстве с Брагинским еще в 1976 году. Им были даже написаны слова к песне «Мы не пашем, не сеем, не строим», которую впослед-

ствии исполнят в фильме Татьяна и Сергей Никитины. Первый вариант сценария не был принят на киностудии, так как его посчитали слишком острым, но когда в 1986 году был написан второй вариант, начавшаяся перестройка сделала свое дело, и сценарий был принят. Но когда Эльдар Рязанов уже был готов начинать картину, Леонид Филатов, которого он изначально видел в главной роли, оказался занят в съемках другого фильма.

Рязанов не стал ждать, пока освободится Филатов, и начал натурные съемки в Крыму и Казахстане. В ходе съемок Рязанов перенес микроинсульт, в результате чего у него перестало слышать одно ухо. К моменту, когда Филатов освободился, Рязанов был серьезно болен, и ему пришлось начинать снимать картину и при этом одновременно лечиться в стационаре.

В январе 1987 года состоялся известный Пленум ЦК КПСС, положивший начало эпохе гласности, и последние преграды для создания фильма исчезли. Теперь злободневную тему фильма можно было раскрывать во всей полноте, без необходимости сглаживания «острых углов». На экраны картина вышла в ноябре того же года.

Леонид Семенович Филимонов, высокопоставленный чиновник из «Главного управления свободного времени», постоянно борется со своим «я». Он старается запретить или избавиться от любого народного творчества, которое можно толковать двояко. Но на совещаниях, когда есть свободная минутка, он представляет себе, как он поднимается и говорит всю правду-матку о своем начальнике с устаревшими

взглядами прямо ему в лицо. Но не делает этого, потому что боится потерять работу, а делать он больше ничего не умеет. А ведь когда-то он неплохо играл на флейте, и до сих пор его тянет иногда взять флейту в руки.

Однажды у него внезапно прихватило сердце, и он знакомится с медсестрой Лидой из своего управления, в которую влюбляется. Так получилось, что она оказалась единственная, с кем он может быть абсолютно открыт. Жена его, узнав, что он завел себе любовницу, выгоняет его из дома, и он селится у медсестры.

Вскоре жена, поняв, что осталась одна, просит его вернуться к ней, она согласна все простить. И чтобы быть более убедительной, она слегка угрожает, что расскажет об их расставании своему отцу, который многие годы помогал Леониду расти по служебной лестнице. В довершение всего его коллеги тоже давят на него и уговаривают расстаться с Лидой, ибо это может повредить карьере — Филимонова прочат на место старого начальника, уходящего на пенсию. В конце концов шкурные интересы берут верх над чувствами и он сбегает от Лиды, даже не объяснившись с ней.

Оскорбленная Лида в тот же день уволилась из управления. В первое свое выступление уже на посту начальника Филимонов, чувствуя угрызения совести и стыд перед Лидой за свою трусость, представил, как высказал подчиненным все, что думает об этом бессмысленном управлении. Мысленно он видит, как просит у Лиды прощения, как отказывается от начальственного поста ради нее. У него начинается новый сердечный приступ.

Кадр из фильма «Забытая мелодия для флейты»

Прибывшая бригада реаниматологов начинает реанимировать Леонида, а тот переживает клиническую смерть и его душа уносится в загробный мир. В бесконечных коридорах ждут высшего суда самые разные люди. В царстве мертвых душа Филимонова встречает родителей, укоряющих его, что он не чтит их память...

В это время Лида, увидев, что машина скорой помощи мчится в сторону управления, понимает, что у Филимонова опять плохо с сердцем. Она вбегает к нему в кабинет и умоляет его не умирать, хотя врачи уже констатировали смерть. Филимонов задышал и зашевелился, врачи кинулись продолжать реанимацию, а Лида уходит навсегда.

Подготовительный период «Флейты» затянулся из-за Леонида Филатова, который был занят в фильме у режиссера К. Худякова. Чтобы использовать лето, решили снять три эпизода с Тамбовским хором. Первая съемка — на авианосце «Киев» в Североморске. Потом съемочная группа полетела в Алма-Ату. В горах снимали эпизод, как «тамбовские» девушки поют чабанам. Рязанову каждый день приходилось ездить в горы, подвергаясь перепадам давления.

14 сентября Рязанов должен был ехать на кинофестиваль в Сан-Себастьян в качестве члена жюри. Но за пару дней до вылета он почувствовал себя плохо. В больнице выяснилось, что был микроинсульт, после которого атрофировался ушной нерв. За время, проведенное в больнице им. Боткина, Рязанов написал множество стихотворений и назвал его скромно «Боткинская осень».

...Переход в ранг больного, больница, беззащитность — очень меняют психологию, происходит кардинальная переоценка ценностей.

Я заболел... Теперь лежу в больнице,
и мысль, что не умру, похоронил.
Легко среди увечных растворился,
себя к их касте присоединил.
Теперь люблю хромых, глухих, незрячих,
инфекционных, раковых — любых!
Люблю я всех — ходячих и лежащих,
чудовищную армию больных.
Терпением и кротостью лучатся
из глубины печальные глаза...
— Так помогите! Люди! Сестры! Братцы! —
Никто не слышит эти голоса...

16 сентября 1986 г.»[48]

Пока Рязанов был в больнице, телевидение наконец-то разрешило ему делать передачу о Владимире Высоцком. Как только он выписался — по субботам и воскресеньям брал интервью у родителей Владимира Семеновича, его коллег по театру, кинорежиссеров, с которыми он работал. Съемки передачи шли параллельно с работой над «Флейтой». С понедельника по пятницу делался фильм, по субботам и воскресеньям — передача о Владимире Высоцком.

В первое полугодие 1987 года Рязанов закончил «Забытую мелодию для флейты», снял передачу о Высоцком и на-

чал пробивать запуск в производство фильм «Дорогая Елена Сергеевна».

В июле 1987 года международный кинофестиваль в Москве открылся «Забытой мелодией для флейты». Главный приз получил фильм Федерико Феллини «Интервью». «Флейта» была куплена прокатчиками несколько стран. Покупатели просили сократить картину, так, чтобы фильм шел не больше 2 часов. Сразу после фестиваля стали делать укороченную версию.

В «Забытой мелодии» Брагинский и Рязанов последний раз писали вместе сценарий. Потом Рязанов еще поставит «Тихие омуты» по сценарию давнего соратника, но Брагинский этого уже не увидит...

«...С Брагинским дуэт распался потому,что невозможно жить двум разным людям в унисон очень много лет. И так мы проработали вместе больше четверти века. Редкий брак столько длится! Естественно, наступает время, когда пути расходятся. То, что продолжало нравиться Брагинскому, разонравилось мне. Или наоборот — считайте, как хотите. Ни ссор, ни скандалов не было — союз умер своей смертью»[49].

Кадр из фильма «Забытая мелодия для флейты»

СОЦИАЛЬНЫЕ ДРАМЫ И ТРАГИКОМЕДИИ

В конце 1980-х — начале 1990-х годов Рязанов полон творческих планов, энергия бьет в нем ключом. К нему пришла всенародная слава, несмотря на неприятие некоторых критиков. Нет такого чиновничьего давления, как в былые, советские времена. Но теперь он столкнулся с проблемой новой жизни, новой эпохи, которую сначала восторженно принял, а потом, разглядев поближе, многому ужаснулся.

«...Обрадованные тем, что наконец-то освободились от цепких «идеологических» лап чинуш, цензоров и прочей бюрократической нечисти, наши кинематографисты ринулись с идеями и предложениями на свободный рынок. Не имея международного опыта, будучи наивными и юридически безграмотными (впрочем, как и все советские люди!), мои кинематографические друзья и я сам столкнулись с трезвыми коммерсантами и расчетливыми дельцами, которые облапошивают нас, как хотят. К нам относятся, как к дешевой рабочей силе, как к чему-то второсортному. А мы-то себя таковыми не считаем. Нас воспитывали в великодержавном чванстве — мол, мы самые-самые.

Пришла горькая пора отрезвления и правильной са-
мооценки — мы нищие, мы отстали от Запада во всем на
десятки лет, и единственное, что у нас есть, как это ни
странно, — самолюбие, чувство собственного достоин-
ства и патриотизм»[50].

В 1988 году с 22 по 25 января четыре вечера подряд шла
премьера четырехсерийной передачи Рязанова о Высоцком.
По ее мотивам издательство «Искусство» предложило написать книгу, и Рязанов с удовольствием согласился. Он писал
книгу и занимался сведением «Дорогой Елены Сергеевны»,
фильма, сценарий которого он не мог пробить с 1983 года —
слишком скандальной показалась чиновникам пьеса Людмилы Разумовской. И вот долгожданный миг настал.

Это был первый фильм Рязанова на молодежную тему,
к тому в жанре социальной психологической драмы. Фильм
был снят под влиянием перестройки. Премьера состоялась
12 апреля 1988 года.

Ученики выпускного 10 «б» класса пришли поздравить
свою учительницу с днем рождения. Но, как выясняется, они
решили это сделать вовсе не по доброте душевной, не потому, что они знают, как дорогой Елене Сергеевне одиноко, не
потому, что ее мать тяжело больна и лежит в больнице, и не
потому, что в этом году они с ней расстаются, уходя во взрос-
лую жизнь. Они знают: у Елены Сергеевны — ключ от сейфа,
где лежат экзаменационные работы. У каждого есть повод
и оправдание стремлению пойти на «преступление»: по-ти-
хому исправить плохие отметки в работах, и у каждого вро-

де бы есть даже угрызения совести по этому поводу. Однако события разворачиваются неожиданным образом для всех. И каждый из учеников по-своему проявляет в них темную сторону своей души, показывая, до чего он может опуститься ради отметок.

Елена Сергеевна, несмотря на свою простоту и кротость, отказывается отдавать ребятам ключ и стойко терпит издевательства подростков. Она пытается им напомнить о тех принципах и заветах, которым их учили в детстве. Ребята в ответ гнут свою линию: их поколение, в отличие от поколения Елены Сергеевны, вынуждено идти на такие крайние меры, потому, что «счастливого советского детства» теперь нет и коррупция в высших учебных заведениях тоже идет полным ходом. В конечном итоге злополучный ключ так и останется лежать в квартире Елены Сергеевны, но и победителей в этой «схватке» не будет.

Марина Неелова была первой, кого Рязанов пригласил на роль Елены Сергеевны. Исполнителей других четырех ролей искали среди настоящих школьников, но только Наталья Щукина была по возрасту школьницей. Ей, Марьянову, Дунаевскому и Тихомирову приходилось нелегко: Рязанов так прочувствовался пьесой, что отношение к ее героям стал перекладывать на актеров, которые их играли, видя в них те самые стереотипы из пьесы. Рязанову очень не нравилось, что актеры, как и подобает молодежи, относились к съемкам очень несерьезно: Наталья Щукина вспоминала, что были моменты, когда в них «летели стулья».

Кадр из фильма «Дорогая Елена Сергеевна»

Премьера «Дорогой Елены Сергеевны» в Доме кинематографистов прошла неплохо. После долгих лет молчания или вранья о проблемах юного поколения кинематографистов словно прорвало. Параллельно с «Дорогой Еленой Сергеевной» была вышли фильмы «Взломщик», «Маленькая Вера», «Соблазн», «Меня зовут Арлекино». Если бы «Дорогая Елена Сергеевна» вышла, как и задумывалось Рязановым, в 1983 году, сразу же после «Вокзала для двоих», отношение к ней зрителей было бы другим. Все эти хорошие картины в какой-то степени обесценили друг друга. Как говорил Рязанов, «книги, фильмы, пьесы надо выпускать к читателю и зрителю немедленно, ибо каждое произведение создается в контексте времени».

Пытался Рязанов ставить о солдате Чонкине по роману В. Войновича на деньги английской фирмы «Портобелло», но из-за разногласий с заказчиком и автором фильм так и не увидел экрана. В итоге его снял чешский режиссер Иржи Менцель. Играли русские актеры, над фильмом работали художник по костюмам, второй режиссер, директор картины из съемочной группы Рязанова. В память о неснятой картине Рязанов вместе с женой приобрели щенка ризеншнауцера и назвали его Чонкиным. Собака и хозяин тут же прониклись взаимным обожанием. Рязанов купался в семейном счастье: любимая жена, обожаемая дочь, подрастающий внук (будущий телередактор Дмитрий Трояновский)... С пасынком, режиссером Николаем Скуйбиным, у Рязанова были прекрасные отношения. «Однажды мы задумали вместе снимать фильм, и я проделал часть работы, но потом понял, что мы

совсем разные режиссеры и сотрудничать не сможем. Тогда я отдал ему все сделанное и попросил не указывать меня в титрах. Этот фильм называется "Небеса обетованные"», — вспоминал Николай Владимирович.

Осень 1990-го года. СССР доживает последние дни. В стране нищета, смута и неустроенность. На городской свалке живут бездомные и несчастные люди, которые не смогли найти свое место в новой жизни, зарождающейся на обломках старого порядка. У каждого из этих людей своя судьба, свои радости и горести. Они борются за место под солнцем с городскими властями, отстаивая свое право жить на земле. Городские же власти хотят ликвидировать свалку — ее обитателей «кого — в больницу, кого — в дом престарелых, кого — в психушку — а кое по кому и тюрьма плачет» — и на освободившемся пространстве открыть совместное предприятие по производству противозачаточных средств.

Среди жителей свалки ходит миф, что уже осталось немного — грядет близкое вознесение на небеса. И они активно готовятся к этому. Однако тут власти города посылают танки (называя их «бульдозерами», по причине произошедшей конверсии) и солдат, для силового решения вопроса. Обитатели возмущены и протестуют, однако не имеют возможности противостоять силе. И тогда они садятся на паровоз, стоящий на проходящей там ветке, который, сияя лобовым фонарем, и уносит их на Небеса обетованные...

Художники Александр Борисов и Сергей Иванов соорудили свалку на задворках сортировочной станции Киевской железной дороги недалеко от «Мосфильма». Загнали на один

из железнодорожных путей старый паровоз, свезли остовы старых троллейбусов, ржавые милицейские будки, брошенные кузова автомобилей, построили лачуги. На свалке есть колонка-колодец, откуда «жители» могут брать воду. Рядом овощная база, где можно набрать капусту, картошку, морковь. В сентябре снимали все городские сцены: попрошайничество Фимы (Лия Ахеджакова), встречу ее Катей Ивановой (Ольгой Волковой), милицию, столовую милосердия, свадьбу на даче. На свалку перебрались, когда начались холода.

Валентин Гафт играл хромого президента колонии попрошаек и уголовников. Лия Ахеджакова — опустившуюся художницу Фиму (Анфимью), любительницу выпить. Олег Басилашвили исполнил роль брата Фимы — влюбчивого Феди, бывшего пианиста. На старости лет он влюбляется в молодую потаскушку Жанну, принявшую его за богатого старика (Федя живет на дачах богатых людей, когда те уезжают на зиму).

«...Не могу не вспомнить одного поразительного случая. В фильме, если помните, фабула строилась на том, что за несчастными жителями свалки должен был прибыть инопланетный корабль, чтобы забрать их в Небеса обетованные, туда, где у них будет человеческая жизнь. Инопланетяне обещали появиться, когда на земле пойдет первый снег. Причем он будет голубого цвета. Мне было важно успеть снять все предшествующие эпизоды до того, как снег ляжет на землю. Я торопился, стояла уже середина ноября. Съемки со снегом, падающим с неба, всегда готовятся. Для этой цели мелко-мелко на-

«Маленькая Вера». Постер

резается папиросная бумага, а специальные ветродуйные машины выпаливают искусственный снег, и в кадре он сыпется сверху, создавая полную иллюзию снегопада. Наконец наступил день съемки эпизода, когда должен был повалить голубой снег и прилететь космический экипаж инопланетян. Чтобы снег был на экране голубым, замечательный оператор Леонид Калашников поставил на осветительные приборы синие и голубые фильтры. Снеговые машины включены в электросеть. Все готово. Я командую: «Внимание! Приготовились!»... И вдруг с небес повалили крупные белые хлопья настоящего снега. Мы начали срочно снимать. Когда съемка одного кадра кончалась, снег прекращался. Как только мы приступали к съемке следующего кадра, снова сверху падали огромные натуральные хлопья. Это было необъяснимо, казалось мистикой, даром Небес. Некоторые актеры крестились. Ибо природа, как правило, не помогает съемкам, а, наоборот, мешает. Когда требуется солнце, идет дождь и так далее. Здесь же на наших глазах совершалось чудо. Снег падал именно тогда, когда начинали работать съемочные камеры. Снеговые машины бездействовали. В них не было нужды. Весь огромный эпизод снимался с подлинным, натуральным снегом. Как будто кто-то наверху следил за нами, открывал снежные заслонки, давая нам понять, что мы делаем хорошее, доброе дело. Я не берусь объяснить этот феномен. Но мистическое чувство, сердечная благодарность за сверхъестественную помощь переполняло всех создателей ленты»[51].

В месяцы, когда снимались «Небеса», Рязанов выходным писал довольно мрачную повесть «Предсказание», которую закончил к Новому, 1991 году. Видимо, у него подсознательно рождалось какое-то недоброе предчувствие.

28 августа, через неделю после путча 1991 года, в зале парламента состоялся просмотр «Небес обетованных» для защитников Белого дома. Картину защитники Белого дома восприняли как своего рода пророчество и принимали очень хорошо.

В Мадриде на кинофестиваль. «Небеса обетованные» получили главный приз «За лучший фантастический фильм». Принимая приз, Рязанов не мог удержаться от смеха. Картина, рассказывающая о нищих несчастных людях, была воспринята на Западе как фантазия!

> «По сути дела, когда я начинал ставить фильм «Небеса обетованные», то думал, что делаю современный вариант пьесы Горького «На дне». Только вместо трущоб там — бывший троллейбусный парк, свалка, где живут замечательные, не сломившиеся люди. А в это время жизнь «пошла мне навстречу» — благосостояние людей падало, падало. И когда я кончил снимать картину, выяснилось, что я сделал фильм не о частном случае, а обо всей стране. Конечно, это был какой-то внутренний заказ — заказ души — снять именно такую картину, а не нежную картину о любви, делая вид, что ничего не происходит»[52].

Осенью Рязанов вместе с женой повез «Небеса» на кинофестиваль в Вену, где увидел фильм Кшиштофа Кисловского

«Двойная жизнь Вероники». Главную роль в этой ленте играла молодая французская актриса Ирен Жакоб. Актриса очаровала и Нину, и Эльдара. И он решил: если снимать «Предсказание», лучше актрисы, чем Ирен Жакоб, ему не найти.

К тому времени Рязанов уже опубликовал «Предсказание» в Харьковском издательстве. Сначала он предлагал его в «Юность» и «Огонек», но журналы слишком затягивали выход книги. По его словам, один молодой режиссер с «Мосфильма» попросил повесть для экранизации. Рязанов отдал и обещал, что если найдется продюсер, он напишет по повести сценарий.

Время шло, продюсер так и не нашелся, и Рязанов решил снять фильм сам. В Париж на ретроспективный показ своих фильмов он пригласил Ирен Жакоб. Актриса и режиссер понравились друг другу, и когда он предложил ей сняться в «Предсказании», Ирен ответила согласием. Позже, во время съемок, Ирен сказала Рязанову, что в марте у нее был тяжелый личный кризис, и его фильмы помогли ей обрести душевное равновесие.

Ирен Жакоб начала учить русский, чтобы играть роль на русском языке. Главная мужская роль — один и тот же герой в двух возрастах, около тридцати и около шестидесяти. На роль старшего Горюнова сразу же утвердили Олега Басилашвили. Молодого двойника сыграл Андрей Соколов. Сценарием заинтересовался французский продюсер русского происхождения, знаменитый Александр Александрович Мнушкин. Партнером стала французская кинофирма «Фильм Пар фильм», которую возглавлял Жан-Луи Ливи.

Швейцарская актриса Ирен Жакоб

Ирен Жакоб играла на русском языке. Весь актерский ансамбль был удачным: Алексей Жарков, Роман Карцев, Александр Пашутин. Воспоминания Горюнова снимали в Париже. Его умершую жену играла жена продюсера актриса Каролин Сиоль, причем тоже на русском языке.

«...Как начинается «Предсказание»? Горюнов возвращается из Питера. На вокзале, как нечто заурядное, наряд автоматчиков. Сейчас-то они везде, а тогда... Откуда взялся этот образ? Я вспомнил Иерусалим: Старый город и сидящих на крепостной стене израильских солдат со знаменитыми «узи» в руках. Или колонна бронетехники. Мы насмотрелись на такие и в августе, и в октябре...

Нет, ничего не стремился напророчить. Для меня фильм «Предсказание» — это «Ирония судьбы» сегодня, современная «love story». Преступность, опасность переворота или гражданской войны, постоянная тревога. Все зыбко, неустойчиво. Какие-то киллеры. И никого не могут поймать. Вот ощущение времени в фильме о любви. Оттого-то все действие погружено в туман. Может ли лента о любви мужчины и женщины на что-либо повлиять?..

Вы знаете, посмотрев картину в Ленинградском Доме кино, мне позвонил Собчак, с которым мы очень мало знакомы: «Я в восторге. Как угаданы грозовая атмосфера времени и то, что нас ждало...» Я сказал: «Вот и помогите, чтоб картину увидели в вашем городе». Он дал на это десять миллионов рублей»[53].

Пока шли съемки «Предсказания», «Небеса обетованные» получили шесть «Ник». Александр Борисов и Сергей Иванов — как лучшие художники года. Юрий Рабинович и Семен Литвинов — лучшие звукооператоры года. Андрей Петров — лучший композитор года. Лия Ахеджакова — лучшая актриса второго плана. Эльдар Рязанов — лучший режиссер года. И лучший фильм года — «Небеса обетованные».

В 1993 году «Предсказание» было закончено. За десять дней до того, как была готова картина, умер в Париже Александр Мнушкин, так и не посмотревший свою последнюю ленту. В мае состоялась в Доме кино премьера, в июне — поездка в Израиль с творческими встречами, в июле Рязанов с женой ездили в отпуск на Валдай. Там Нине Скуйбиной внезапно стало плохо. Она вдруг ощутила сильное недомогание, врачи долго не могли понять, что с ней. А когда диагностировали онкологию, то не решились сообщить страшную новость женщине, которой уже минуло шестьдесят. 3 ноября хирург Онкологического центра М. И. Давыдов сделал Нине Скуйбиной операцию.

«Доктора рассказали о жутком диагнозе мне, я не стал скрывать эту ужасную весть от Эльдара Александровича. В итоге мы договорились, что не стоит рассказывать маме о ее тяжком положении, — вспоминает Николай Владимирович Скуйбин, сын Нины Скуйбиной. — Я уверял маму, будто у нее язва, и она до последнего не знала, что на самом деле больна раком. Правда, когда уже поняла, что ее дни сочтены, завещала мне только одно — чтобы я, если Рязанову потребуется помощь, был с ним рядом. Ее просьбу я выполнил».

5 ноября Рязанова пригласил к себе Ельцин — дать обещанное интервью.

«...Я в первый раз был в Кремле, там, где работает Президент. Борис Николаевич сказал:

— Я знаю, у вас тяжело больна жена, а на седьмое назначено интервью. Вам, вероятно, сейчас трудно. Если хотите, отложим нашу встречу.

Нина по-прежнему находилась в реанимации, куда не пускают родных. Правда, для меня делали исключение, на две-три минуты впускали. Но я ничем не мог помочь ей. Я маялся, не находил себе места, не знал, чем себя занять.

— Давайте не будем откладывать, — сказал я Президенту. — Работа отвлечет меня от печальных мыслей.

— О чем будет интервью? — спросил Ельцин.

— О том, как коммунист стал демократом, — объяснил я. Должен сказать, меня очень тронула деликатность Бориса Николаевича.

...За мной, за плечами, стояло невыразимое горе — смертельная болезнь любимой жены, и я решил, что особенно церемониться не стану. Практически у всех к президенту набралось немало острых, нелицеприятных вопросов, и я решил, что буду как бы выразителем скопившихся недоумений, озадаченностей, буду спрашивать обо всех странностях, о загадках, о дурдоме, которого так много в политике и стране. Ельцин не ожидал от меня (в особенности после апрельской программы) тако-

IRÈNE JACOB

OLEG BASSILACHVILI
ANDREÏ SOKOLOV

La prédiction

«Предсказание». Афиша

го резкого напора и поначалу даже немножко растерялся. Но он ... не кривил душой, не врал, не старался казаться лучше. Он мог ведь и прервать эту съемку, отменить ее, но он пошел до конца. Когда ему нечего было сказать, он выдохнул: «У меня нет ответа»...»[54]

Нина Скуйбина в это время была по-прежнему в реанимации, но вскоре пошла на поправку и была выписана домой. Чонкин был в восторге от того, что хозяйка вернулась. Но болезнь отступила ненадолго. В 1994 году началось ухудшение. Вместе с Рязановым она едет в Германию, в клинику реабилитации. После нескольких дней обследования был поставлен диагноз: рецидив болезни. Делать операцию было поздно. Супруги вернулись домой. 28 мая Нина умерла.

«Я уверен, годы брака с моей мамой были самыми счастливыми для Рязанова и для мамы, конечно, тоже, — говорит Николай Скуйбин. — В этот период Эльдар Александрович снял все свои лучшие фильмы. Думаю, если бы мама не заболела, то они до сих пор были бы счастливы...»

Со смертью Нины в жизни Рязанова закончился важный этап. На пороге уже был следующий.

Чтобы прийти в себя после смерти жены, он прибегает к испытанному средству — с головой уходит в работу.

В сентябре 1994 года Рязанов уже без малого 50 лет работал в кино. В честь этого на REN TV было сделано пять программ под названием «Неподведенные итоги» (Рязанов напишет и одноименную книгу). В середине октября небольшая съемочная группа REN TV улетела во Францию — снимать

цикл телевизионных программ под условным названием «Русские музы». Было снято несколько фильмов, посвященных русским женщинам — подругам великих французских художников и писателей. Эльза Триоле — жена Луи Арагона, сама стала крупной французской писательницей. Надя Ходасевич, ученица Казимира Малевича, стала ученицей Фернана Леже, затем и его женой. Балерина Дягилевского балета Ольга Хохлова стала женой Пабло Пикассо. Художник ради невесты согласился на венчание в русской православной церкви в Париже. Дина Верни, подруга скульптора Аристида Майоля, дала два больших интервью. Был снят фильм им о жене Сальвадора Дали, а когда-то и Поля Элюара — Галине Дьяконовой. В фильмах не обошли стороной дружбу Анны Андреевны Ахматовой и Амедео Модильяни в 1910 и 1911 годах в Париже.

РЯЗАНОВ В XXI веке

> Задрав штаны, бежать за «сегодняшним комсомолом» я не буду. Я воспитанник других взглядов и вкуса — и это моя проблема. То, что я делаю, нравится людям от сорока и старше.
>
> *Э. Рязанов*

«Привет, дуралеи»

Рязанов пишет сборники стихов, прозу, воспоминания, ведет общественную жизнь, но ему не хватает рядом близкого человека, потеря жены кажется невосполнимой. Но вдовствовал режиссер недолго. Уже через год после похорон начал встречаться с нынешней супругой Эммой Абайдуллиной. Они познакомились еще в 1987 году, во время Московского кинофестиваля, но поженились только в 1995-м. Эмма полностью посвятила себя делам мужа.

«Слава богу, что он женился в третий раз, — говорит Николай Скуйбин. — Эльдару Александровичу, который тогда уже вступил в пенсионный возраст, жизненно необходим был преданный человек рядом. Эмма Валериановна дарила и да-

Кадр из фильма «Привет, дуралеи»

рит ему свою заботу, любовь, уход. В одиночестве ему было бы очень тяжело. Эмму я знал еще до замужества с Эльдаром. Она работала в Бюро пропаганды киноискусства в Свердловске, где родилась, и только потом перебралась в Москву».

За плечами журналистки и редактора Свердловского киноцентра Эммы Абайдуллиной было два неудачных брака. Ее первым мужем был художник-конструктор Валерий Бердюгин, от которого она родила сына Олега в 1964 году. Спустя два года в семье появился еще один мальчик — Игорь. Братья Бердюгины живут в Москве, занимаются арт-проектами, у каждого собственные успешное дело. Следующим мужем Эммы стал композитор Павел Аедоницкий, недавно овдовевший, старше Эммы на 19 лет. Они прожили меньше года и разошлись.

Злые языки называли Эмму охотницей за состоятельными вдовцами. Но почти все сходились во мнении, что с Рязановым они хорошая пара. Сама Эмма в книге «Необъятный Рязанов», вышедшей к одному из юбилеев мужа, пишет:

«Легко ли рядом с Рязановым? Отнюдь.

Он слишком требователен к себе, а значит, и к другим.

Слишком обязателен и ответственен, чем ставит многих в неловкое положение.

Слишком работоспособен и неуемен, чем заставляет и людей вокруг него напрягаться.

Слишком честен (буквально, то есть совершенно не умеет врать), а потому многим приходится выслушивать от него нелицеприятную правду.

Словом, ему все время надо соответствовать, а это, поверьте, нелегко».

Клара Лучко вспоминала в одном из интервью: «Такое взаимопонимание, как у Эммы с Эльдаром, между мужем и женой бывает нечасто! Во всем, даже в мелочах! Например, Рязанов вообще-то очень любит поесть, но, очевидно, они с женой договорились, что он будет худеть. И я помню, какими страдальческими глазами он, садясь за стол, смотрел на жену, дескать, можно ли это ему съесть. Она отрицательно качнет головой — он опускал глаза и не ел. И я вижу, что за последние годы он похудел, помолодел, у него блестят глаза, легкая походка...»

Рязанов продолжает снимать. Следующим фильмом стал «Привет, дуралеи» (1996), легкая городская комедия.

Юрий Каблуков, добросовестный мойщик московских памятников, а в недавнем прошлом филолог, проводя очередную ночь под окном бывшей жены, крепко уснул и увидел сон о том, что в прошлой жизни был богатым французом, проживавшим в Москве. Во время революции он припрятал семейные сокровища в тайнике, о котором знала только его жена (эту женщину он никогда прежде не знал). Затем судьба подарила Каблукову прекрасный день: он ее встретил, узнал, полюбил и в конце концов добился руки и сердца.

Роль наивного романтика на этот раз досталась не Мягкову, а Вячеславу Полунину. Близорукую продавщицу книг играла Татьяна Друбич, до этого ни разу не снимавшаяся в комедиях. Неудивительно, что актеры ощущали некоторую неуверенность, чем не замедлила воспользоваться критика.

Кинокритик Александр Федоров писал: «Лишенный привычной клоунской маски, Вячеслав Полунин, кажется, про-

сто копирует манеру "мягковской" игры времен "Служебного романа". По-видимому, почувствовав это, Рязанов даже голос Полунина заменил голосом Мягкова. Увы, Татьяна Друбич также не кажется мне лучшим режиссерским выбором. Буквально созданная для романтических элегий раннего кинематографа Соловьева, она, по-видимому, не слишком хорошо ощущает комедийный жанр. Ну, разве так падают в эксцентрических комедиях в фонтаны! Зато Татьяна Догилева — молодец! Сцены, где ее героиня "лепит" из лица персонажа Александра Ширвиндта "президентскую внешность", по-настоящему смешны и сатиричны...

Видно, что Эльдар Рязанов, пройдя "критическую точку" печали в "Предсказании", решил возвратиться в свой излюбленный жанр веселой городской сказки. Не могу сказать, что ему это удалось в полной мере. Бесспорно, Москва выглядит в фильме нарядной и праздничной, а Зло снова стало неуклюжим и побеждаемым. Но сделано все это как-то тяжеловато»[55].

Другие были еще резче: «...Полунин впервые являет свое «обнаженное» человеческое лицо. Сдвигая брови, щуря глаза, опуская уголки рта, Полунин словно тоскует по гриму и оттого становится подозрителен. Он не может без оглядки доверить зрителю свое лицо, и в ответ зритель не может до конца доверять Каблукову. Партнершей Полунина стала Татьяна Друбич, привлекшая Рязанова своей интеллигентностью и своеобразной странной томностью, которая, казалось, должна была прийтись кстати подслеповатому "синему чулку", как и Каблуков, не вписывающемуся в современность. Но как бы Друбич ни напускала на себя смирение, у нее все

Клоун Слава Полунин, первый и главный Асисяй России

равно лицо женщины, привыкшей к поклонению мужчин и к совсем другим ролям — и в жизни, и в кино.

...Все персонажи фильма соответствуют местам и функциям, которые им отведены, — кроме несчастных героев. Но это не то симпатичное аутсайдерство, которое хотел воспеть Рязанов и которое должно было объединить влюбленных, а просто неконтролируемая режиссером обескураженность исполнителей непривычной атмосферой. Нелепое предположение, что эти двое — из разных времен, из разных миров, из разных сказок (коль скоро авторы претендуют на создание доброй чистой сказки) — могли найти какие-то точки пересечения, не закрадывается ни на секунду»[56].

Рязанов давно привык не обращать внимания на критику. Зрителю фильм понравился, хотя и меньше, чем «Небеса обетованные» — ждали новой социальной драмы, а получили лирическую сказку. Он тоже снялся в фильме в роли директора книжного магазина, и готовился к работе в следующем тысячелетии. В 2000 году вышли на экран «Старые клячи».

«Старые клячи»

На большой экран фильм «Старые клячи» вышел в 2000 году. Это была история о том, как тяжело приспосабливаться к современной России тем, кто жил в позднем СССР. Задумку Рязанова исполнили великолепные актеры и актрисы: Людмила Гурченко, Лия Ахеджакова, Светлана Крючкова, Ирина Купченко, Николай Фоменко, Валентин Гафт, Ро-

ман Карцев, Михаил Евдокимов, Мамука Кикалейшвили, Нина Тер-Осипян.

Сюжет, снова изруганный критиками, для зрителей был близким и понятным. Четыре главные героини уже далеко не молоды. После развала СССР у каждой судьба сложилась не лучшим образом. У одной из них, Любы, не так давно случилась трагедия — в Афганистане погиб единственный сын. Подруги поддерживают ее, но и сами влачат жалкое существование — одна из них торгует на рынке пирожками, другая — овощами, третья моет машины. Сама Люба продает газеты.

Пользуясь доверчивостью Любы, бизнесмен Василий Хоменко вместе со своими подельниками выцыганил у Любы документы на продажу квартиры. Взамен они обещают ей сто тысяч долларов и новую квартиру в центре столицы. В результате пожилая женщина оказывается без копейки денег в сторожке на кладбище. Добиться чего-либо законным путем нереально. И «старые клячи» решают наказать злодеев по-своему. Квартиру нужно вернуть любыми путями! А для этого нужно снова стать молодыми и сильными. Женщины вспомнят навыки прошлой жизни, а они ими немало пригодятся. «Старые клячи» не сдаются и из всех сложных ситуаций выходят победительницами.

В сюжете «Старых кляч» есть все российские стереотипы конца 1990-х — бандиты, рынок, черные риэлторы, казино, голодные солдаты, беспризорники. Залихватская комедия одновременно была грустным прощанием режиссера со своими излюбленными героями и мотивами последних лет («Небеса обетованные», «Предсказание», «Привет, дуралеи!»).

Недаром сам Эльдар Рязанов появляется в заключительном эпизоде и печально машет им рукой... Фильм часто называли «ярким образцом попытки старшего поколения кинематографистов приспособиться к новым временам» (А. Федоров). Но зрители фильм полюбили. И неудивительно!

«Рязанов снимает про то, что есть: кто не мечтает облить дерьмом машину "нового русского". Господи, как мы на наших малолитражках мучаемся, лавируя между иномарками! Появляется здесь и обязательный символ "совка" — советская техника, вечно барахлящая, но непробиваемо надежная. Отец одной из героинь сконструировал для Сталина универсальную машину, которая позволила бы ему при случае сбежать из осажденной Москвы. Эта машина плавает, в том числе и под водой, а когда необходимо — катит по рельсам. В общем, символ этот при всей своей банальности в картине уместен: что у нас осталось крепкого, кроме уродливой архитектуры, громоздкой техники и коммунистической морали? Все, что созидалось на закате империи и после ее распада, все, от хрущоб до кумиров масс, осыпалось и рухнуло. А сталинские преемники и принципы работают до сих пор. Это была последняя стилистически цельная российская эпоха, и Рязанов говорит ей последнее прости с презрением, но и любованием. Что ни говорите, а столь презираемый прорабами перестройки советский человек в экстремальных ситуациях зачастую вел себя лучше любого "быка". Он, конечно, мерзок временами, этот "совок", и

Кадр из фильма «Старые клячи»

кругозор его узок, и по части терпимости к чужому мнению он не ахти... Но Рязанов ведь снимает про лучшее, что было в этом человеке, почему он и делает героями своей картины именно женщин.

...Рязанов и его героини еще раз доказали своей стране, что никакие они не "старые клячи" — скорее они гнедые из старого романса, те самые, что были рысаками и многих нынешних фаворитов еще обставят на последнем круге»[57].

«Тихие омуты»

В 1998 году умер давний соратник, соавтор и друг Рязанова — Эмиль Брагинский. И Рязанов решил поставить фильм по его сценарию — «Тихие омуты». Памяти Брагинского этот фильм и посвящен.

Талантливый хирург, академик, руководитель крупной клиники Антон Михайлович Каштанов решил сбежать от своей властной и стервозной жены Полины в деревню Тихие Омуты. Там героя ждет друг детства, начальник местного заповедника. Пасторальную идиллию нарушает одно обстоятельство: одновременно с отъездом Каштанова из города из его именного Благотворительного фонда исчезают 2 млн долларов. За расследование независимо друг от друга берутся две решительные дамы: милицейский следователь и пробивная тележурналистка.

Хирург устроился лодочником на станцию в Тихих омутах, и там его настигает тележурналистка Джеки. Журналистка постоянно провоцирует Каштанова — купается голышом, пьет водку с оператором под окнами Каштанова, то становится нежной и скромной. В сердце Каштанова вспыхивает поздняя любовь.

Каштанов узнает, что в связи с пропажей денег он объявлен во всесоюзный розыск, и собирается ехать в Москву, чтобы восстановить честное имя. Но его помощник по телефону рекомендует Каштанову повременить. Влюбляется не только Каштанов: под влиянием сильного чувства Джеки становится милой, тихой и скромной. Он представляет ее друзьям — бизнесмену (Геннадий Хазанов) и смотрителю заповедника (Андрей Макаревич). Каштанов собирается начать жизнь заново. И даже жена, специально приехавшая в Тихие омуты, не может его отговорить.

Но вдруг он, как и герой «Забытой мелодии для флейты», решает вернуться к жене, хотя его карьера никак от нее не зависит. Он считает, что жена «только строит из себя сильную и волевую, а на самом деле без меня пропадет». Он предлагает Джеки компромисс: встречаться на съемной квартире в понедельник, среду и пятницу с 17:12 до 21:14. Оскорбленная Джеки отказывается и покидает Каштанова.

Каштанов возвращается к жене (Любовь Полищук) и к прежней академической жизни, с банкетами и поездками на Гавайи. Последняя случайная встреча с Джеки происходит перед Новым годом. Каштанов едет с женой за подарками и на противоположной стороне видит Джеки, сидящую в своей старой машине. Джеки при виде Каштанова плачет и уезжает.

Сюжет упрекали (и не без оснований) за натяжки и нестыковки. Непонятным казался уход академика в деревню, никак не объясненное расставание с только что обретенной любовью. Не понравилась им и Оксана Коростышевская в роли журналистки. Похвалы достались Любови Полищук (жена Каштанова) и Ольге Волковой (следователь по делу о хищении двух миллионов).

В фильме звучит музыкальная тема Микаэла Таривердиева, почти повторяющая его знаменитую мелодию из «Иронии судьбы». Но успеха «Иронии судьбы» фильм, увы, не повторил...

При работе над «Тихими омутами» были сняты две финальные сцены: печальный, конец и так называемый «хэппи энд». Рязанов предпочел конец печальный.

«...Этому есть целый ряд причин. Да, был снят и «хеппи-энд», но у меня сложилось ощущение, что и время не то; я даже объяснить порой не могу, почему, как, но время жесткое, прагматическое, неуютное, повлияло и на это. Я не смог завершить фильм счастливым финалом, сделать вид, что в стране ничего неблагополучного не происходит; это с одной стороны.

С другой стороны, на мое личное психологическое восприятие оказала страшное разрушительное действие смерть моих близких друзей. За последние 3—4 года умерли очень дорогие для меня люди: это и Иннокентий Смоктуновский, и Евгений Евстигнеев, и Булат Окуджава, и Зиновий Гердт, и Григорий Горин, и Марк Галай, и

Кадр из фильма «Тихие омуты»

Эмиль Брагинский, с которым я очень активно сотрудничал... многих я еще не назвал. Моя телефонная книжка опустела. Я вспоминаю строчки Есенина:

> *Стою один среди равнины голой,*
> *А журавлей уносит ветер вдаль...*

Вот и моих друзей ветер унес навсегда, это невосполнимые потери. С этим ощущением пустоты, образовавшейся вокруг меня, я не могу не считаться; я это чувствую, я это ощущаю, это проникло в мой организм, в мою плоть, в мой дух. Я не сразу решился на такой финал, тем более что зритель, безусловно, привык к тому, что все мои картины кончаются «хэппи эндом». Но жизнь меняется, я меняюсь вместе с ней. И мне кажется, что даже просто с точки зрения правды (хотя правда жизни и правда искусства — это разные вещи) этот финал более справедлив...[58]

«Ключ от спальни»

В 2003 году, к 300-летию Санкт-Петербурга Рязанов снял кинокомедию «Ключ от спальни» по одноименному фарсу Жоржа Фейдо, действие которого перенесено в Россию начала XX века.

Сюжет фильма закручивается вокруг любовного треугольника. В Аглаю влюблен профессор-орнитолог Марусин, но она не отвечает ему взаимностью. Аглая замужем за

артиллеристом и заводит любовника. Фабрикант Вахлаков приходит в дом под предлогом аренды комнаты, чтобы быть поближе к Аглае. Простак муж ни о чем не догадывается и только рад новому соседу. Но на граммофонную пластинку, куда он записывает письмо для мамы, случайно попадает любовное воркование любовников, хотя муж не догадывается, кто его соперник.

Собственная квартира фабриканта и ловеласа Вахлакова расположена под квартирой вечно пьяного поэта Иваницкого. Поэт, вернувшись с очередной попойки, ошибся дверью и попал в квартиру Вахлакова, где и уснул. При попытках выставить его за дверь он оказал вооруженное сопротивление, схватившись за пистолет, и в результате борьбы был потерян ключ от квартиры (выброшен в окно), а с ним и некоторые предметы одежды любовников. На этом строятся все дальнейшие события этой комедии положений.

«...История с «Ключом от спальни» такова. Я никогда не слыхал о драматурге Жорже Фейдо, но однажды, во время съемок «Парижских тайн» это имя упомянули Ани Жирардо и Пьер Ришар. Я принялся за чтение и был потрясен, насколько уровень пьес Фейдо устарел. Но один сюжет показался занятным, он задевал, подавал импульсы. Я решил перенести действие в Россию, в Санкт-Петербург, потому что нелепо снимать о французских рантье начала века. От оригинала остался пьяница, который попадает в квартиру, где совершается адюльтер, название и лающий извозчик. Остальных героев я придумал. Меня

несло, как Остапа. Так появился майор, которому изменяет жена, влюбленный орнитолог, поэт (Сергей Маковецкий) — какой Серебряный век без поэта! Героя я сделал фабрикантом. Можно было выбрать красавца на эту роль. Но эта комедия, мне хотелось посмешить, и я пригласил Николая Фоменко.

Та эпоха вкусная, замечательные костюмы, архитектура, появился синематограф, Вертинский запел. Время величайших экономических достижений. Не зря в советские времена все показатели сравнивали с 1913 годом. К тому же в драматургии того времени есть наивность, которую в наши дни не перенесешь. ...«Ключ от спальни» — дурошлепская комедия, вроде «Тетки Чарлея». Мне показалось, что этот забытый своеобразный жанр может доставить радость и, судя по реакции зрителей, не ошибся»[59].

«Ключ от спальни» получился, по словам Рязанова, молодым, озорным, хулиганским. Глядя на этот фильм, никто не скажет, что ее снял человек 75 лет. В комедии переплелись остроумные диалоги, любовная неразбериха, неожиданности и отличная игра актеров.

Евгения Крюкова, Николай Фоменко, Сергей Безруков, Наталья Щукина отлично исполнили свои роли и смотреть на них — одно удовольствие. Бесподобно сыграл Сергей Маковецкий, вечно пьяный поэт-декадент.

Премьера фильма «Ключ от спальни» состоялась 11 марта 2003 года в кинотеатре «Пушкинский».

Евгения **КРЮКОВА** Сергей **МАКОВЕЦКИЙ** Николай **ФОМЕНКО** Владимир **СИМОНОВ** Сергей **БЕЗРУКОВ**

«Ключ от спальни». Афиша

В одном из интервью Эльдар Рязанов, рассказывая про «Ключ от спальни», предположил, что публика этот фильм примет тепло, а журналисты, как всегда, будут о него ноги вытирать. «Впрочем, я к этому привык», — философски заметил режиссер.

И он снова не ошибся. Порой создается впечатление, что кроме Рязанова в российском кинематографе просто некого ругать, все остальные — просто гении.

«До чего мил предреволюционный Петербург! Какие романсы на стихи Блока, Ахматовой, Северянина! Какие чудные актеры собрались под маститым рязановским крылом — Сергей Маковецкий, Николай Фоменко, Андрей Толубеев, Евгения Крюкова, Наталья Щукина, Владимир Симонов, Сергей Безруков... Как великолепны эти дуновения из глубины веков — наследие Макса Линдера, Бастера Китона, Чарли Чаплина: вошел персонаж — и героине на ногу ка-ак наступит. Наклонился, чтобы помочь, — и тылом своим вазу ка-ак опрокинет. Пока с вазой возился — изящную подставочку ка-ак порушит. Лет сто назад наши пра-пра- наверняка животы надрывали всерьез. А нам не смешно.

...В «Ключе от спальни» Рязанов соскользнул на фарсовую комедию положений. Вернее, поскользнулся на ней. В этом фильме нет главного — в нем нет настроения. Есть запутанный сюжет про изменяющих жен и мужей, пьяных поэтов-декадентов с пистолетами, застающих этих жен и мужей в неглиже. Есть нескончаемые,

ни к чему не обязывающие диалоги — нудные, пустые и скучные, очень плохо написанные. К середине картины ловишь себя на том, что актеры страшно раздражают — уже одним тем, что так долго не уходят с экрана»[60].

Много было упреков — и в предательстве собственного художественного «я», наработанного недюжинным талантом, и в использовании старого багажа, в невозможности сказать что-то новое...

А зритель смотрел и смеялся. Рязанов же взялся за жанр, в котором еще не работал, — фильм-байопик. Но не типичный байопик, а сказочный. И снял картину «Андерсен».

«Андерсен, или Жизнь без любви»

> Вы не смотрели моего «Андерсена»? ...
> А я последние два года жил ради этого фильма. Андерсен — кипяток со льдом и перец с вареньем. Все тут замешано. У него мать — алкоголичка, сестра — проститутка, дед — сумасшедший, а он — гений.
>
> *Э. Рязанов для журнала Esquire*

3 июня в кинотеатре «Сеспель» состоялось одно из главных событий Чебоксарского международного кинофестиваля — Эльдар Рязанов представил конкурсный фильм «Андерсен. Жизнь без любви».

«Уважаемые чебоксарочки и чебоксарцы! Я очень рад представить на фестивале свою новую фильму (так раньше говорили). Для меня эта картина очень важна, и я бы хотел услышать ваше мнение о ней», — приветствовал Эльдар Александрович зрителей.

Художественный фильм-сказка «Андерсен. Жизнь без любви» снят в 2006 году. В основу сюжета фильма положена биография начинающего писателя Ганса-Кристиана Андерсена. Фильм — сплав реальных фактов из жизни писателя и сюжетов из его сказок. «Здесь много подлинных фактов, — рассказывал Рязанов. — Я читал мемуары, дневник сказочника, воспоминания современников. У Андерсена был замечательный голос, в 15-16 лет он пропал. Писатель был действительно влюблен в знаменитую шведскую певицу Дженни Линд, про которую писали, что такой голос может быть только раз в сто лет. Конечно же, в фильме есть выдумки, которых мы не стыдимся. Это могло существовать, может, и было на самом деле», — отметил автор картины[61].

Рязанов долго искал актеров на главную роль. Сказочника в фильме сыграли Сергей Мигицко, Станислав Рядинский (молодой Андерсен) и Иван Харатьян (сказочник в детстве) — сын Дмитрия Харатьяна.

«Станислав оказался не только очень похожим на Мигицко, но он очень талантливо сыграл. Он только закончил театральный институт и работал в театре Марка Захарова "Ленком". Дальше — женщины. Я писал, что влюблен в каждую актрису. Это бабушка Людмила Аринина, мама Окса-

Кадр из фильма «Андерсен, или Жизнь без любви»

на Мысина, это сестра, которую играет одна из лучших артисток нашей страны Галина Тюнина. Это женщина, в которую он влюблен — Дженни Линд в исполнении Евгении Крюковой. Алена Бабенко в роли Гетти (это была одна из первых ее ролей), она потрясающая, живая, нежная, человечная», — рассказывал Рязанов.

Отражающий в сказках бесконечную любовь и, вместе с тем, увлеченный певицей, приносящий боль Генриетте, отвергший семью одинокий, проживший без любви сказочник-гений выписан в картине со всеми внутренними душевными противоречиями, человеческими слабостями и гениальной странностью.

«Картина для меня очень значима, она рассказывает о важных проблемах. Добро, которые несли сказки Андерсена, влились в кровь и плоть нации. И для меня большой смысл в том, чтобы показать, какую пользу может принести искусство. Сказки Андерсена изменили дух нации, менталитет. Это нация, которая совершила подвиг во Второй мировой войне. Я думаю, что это долгоиграющая картина», — заметил Эльдар Александрович.

Свое отношение к картине про Андерсена и другим своим фильмам режиссер выразил так: «Мне близка картина про Андерсена, меня восхищает человек, который нигде не учился, кроме гимназии, но был одарен невероятным даром. Поэтому мне было интересно снимать. У меня есть жажда просвещения. То, что я знаю, хочется рассказать тем, кто этого не знает. Это и мешает, и помогает мне жить. То, что я сам

знаю — в моих фильмах. Все фильмы в той или иной степени автобиографичны. Каждый фильм — моя исповедь. Они все как дети, нет любимых и нелюбимых, я больше волнуюсь за судьбу тех, у кого судьба сложилась хуже. Многие мои фильмы живут, и я очень рад».

Режиссерская версия «Андерсена» отличается от общедоступной, которая шла в прокате.

«...Я люблю, конечно, «непрокатную» версию. Сокращать картину я был вынужден по неумолимому требованию прокатчиков, наступая себе на горло. Я ее сократил для того, чтоб был какой-то смысловой рассказ. Какие-то вещи «порвались», появилась какая-то скороговорка. В прокатной версии порушены какие-то связи. Полная режиссерская версия насчитывает около 18 эпизодов. Например, пришлось выкинуть эпизод, в котором Андерсена приглашают почитать сказку во дворце перед придворными и подданными короля.

Андерсен не знал, что нужно выступать во фраке. И наскоро одолжил у приятеля. Фрак ему был тесноват. Он начинает читать сказку «Принцесса на горошине». Жестикулирует. Сначала фрак рвется — у него один рукав отрывается. Потом второй рукав рвется. Зал хихикает, потому что Андерсена не любят — он выскочка, плебей для них. А потом когда один рукав просто улетает, то зал просто счастлив. Все эти адмиралы, генералы, министры, приближенные — они просто начинают грохотать.

Затем Андерсен начинает снимать остатки фрака и начинает топтать его ногами.

Король смотрит на него и говорит королеве, что на его месте поступил бы так же. «Тогда спасайте ситуацию, Ваше Величество», — говорит королева «(она симпатизирует Андерсену). На что король встает, снимает с себя свой королевский парадный мундир и остается в белой рубашке, которая была под мундиром. Зал перестает хихикать и один за другим придворные начинают разоблачаться. И уже через минуту весь зал сидит в белых рубашках. Король говорит Андерсену: «Продолжайте»…»[62]

Рязанов не может сидеть без дела. В 2002 году он становится президентом Российской академии кинематографических искусств «Ника».

23 января 2005 года открылся киноклуб Эльдара Рязанова. Киноклуб задуман, по выражению самого Рязанова, как своеобразный центр отечественной комедии. В трех залах, самый большой из которых рассчитан более чем на пятьсот мест, идут фильмы и спектакли, проходят творческие встречи, концерты.

В 2010 году Рязанов стал одним из учредителей Киносоюза.

И при всем этом он продумывает сценарии новых фильмов, голова его полна новыми планами, он пишет стихи и прозу — и до сих пор, в его 87 лет, все еще упрекают в отсутствии творческих сил!

Эльдар Рязанов во время перемещения пленок
в новое здание фильмохранилища Госфильмофонд
в Белых столбах

Не так давно в сборнике «Ностальгия» Рязанов опубликовал стихотворение:

Я все еще как прежде жил, живу,
А наступило время отступленья.
Чтобы всю жизнь держаться на плаву,
У каждого свои приспособленья.
Я никогда не клянчил, не просил,
Карьерной не обременен заботой,
Я просто сочинял, по мере сил,
И делал это с сердцем и охотой.
Но невозможно без конца черпать,
Колодец не бездонным оказался,
А я привык давать, давать, давать,
И, очевидно, вдрызг поиздержался.
Проснусь под утро, долго не засну,
О, как сдавать позиции обидно!
Но то, что потихоньку я тону,
Покамест никому еще не видно.
Богатства я за годы не скопил,
Порою жил и трудно, и натужно.
В дорогу ничего я не купил,
Да в этот путь и ничего не нужно...

24 ноября 2014 года Рязанов был госпитализирован в тяжелом состоянии в НИИ нейрохирургии им. Н.Н. Бурденко с диагнозом «острое нарушение мозгового кровообращения». Но точка в его судьбе, к счастью, не поставлена, и его зритель

надеется, что все обойдется. Уже в январе 2015-го СМИ сообщили, что «Эльдара Рязанова выписали из госпиталя Бурденко в Москве. Медики отмечают, что восстановительный период у режиссера может занять весьма продолжительное время из-за перенесенного инсульта».

Для подведения важных итогов можно дать слово самому Эльдару Александровичу Рязанову.

«...Сегодня очень сильно изменился зритель. А мои комедии — нет. Феллини в конце жизни говорил: «Мой зритель умер». Мой зритель тоже частично умер, частично уехал за рубеж. Хотя, конечно, частично он остался. С момента, когда рухнул Советский Союз, очень изменилась молодая публика. Старые умирают, а их место занимают молодые. Кино перестало быть властителем дум, как это было в 60—80-е годы. Но подлинные ценности — любовь к человеку, порядочность, дружба, самопожертвование и так далее — останутся вечными. Хоть они и требуют современных одежд и современного жаргона»[63].

Примечания

[1] http://ng.sb.by/kultura-5/article/eldar-ryazanov-kazhdaya-kartina-chast-moey-dushi.html

[2] *Рязанов Э.* Неподведенные итоги. URL: http://www.litmir.me/br/?b=23685

[3] Встреча со студентами СПбГУП 21 декабря 2000 года.

[4] *Рязанов Э.* Неподведенные итоги. URL: http://www.litmir.me/br/?b=23685

[5] *Рязанов Э.* Неподведенные итоги. URL: http://www.litmir.me/br/?b=23685

[6] *Рязанов Э.* Неподведенные итоги. URL: http://www.litmir.me/br/?b=23685

[7] *Рязанов Э.* Неподведенные итоги. URL: http://www.litmir.me/br/?b=23685

[8] *Рязанов Э.* Неподведенные итоги. URL: http://www.litmir.me/br/?b=23685

[9] Встреча со студентами СПбГУП 21 декабря 2000 года.

[10] *Рязанов Э.* Неподведенные итоги. URL: http://www.litmir.me/br/?b=23685

[11] *Рязанов Э.* Неподведенные итоги. URL: http://www.litmir.me/br/?b=23685

[12] *Рязанов Э.* Неподведенные итоги. URL: http://www.litmir.me/br/?b=23685

[13] Там же.

[14] Встреча со студентами СПбГУП 21 декабря 2000 года.

[15] *Рязанов Э.* Неподведенные итоги. URL: http://www.litmir.me/br/?b=23685

[16] *Рязанов Э.* Неподведенные итоги. URL: http://www.litmir.me/br/?b=23685

[17] http://sobesednik.ru/showbiz/eldar-ryazanov-edva-ne-umer-uznav-o-smerti-zheny

[18] Встреча со студентами СПбГУП 21 декабря 2000 года.

[19] Рязанов Э. Неподведенные итоги. URL: http://www.litmir.me/br/?b=23685

[20] Там же.

[21] URL: http://www.litmir.me/br/?b=23685

[22] Там же.

[23] Там же.

[24] http://www.litmir.me/br/?b=23685

[25] Там же.

[26] http://www.litmir.me/br/?b=23685

[27] http://www.litmir.me/br/?b=23685

[28] Там же.

[29] http://www.litmir.me/br/?b=23685

[30] *Раззаков Ф.И.* Досье на звезд. 1962—1980. М. : ЭКСМО-Пресс, 1999. С. 371—372.

[31] http://www.litmir.me/br/?b=23685

[32] *Михалкович В.* Пигмалион среди нас // Искусство кино. 1978. №2. С. 38—48.

[33] *Демин В.* Эльдар Рязанов. М., 1984. С. 28—32.

[34] http://www.litmir.me/br/?b=23685

[35] http://www.litmir.me/br/?b=23685

[36] http://www.litmir.me/br/?b=23685

[37] http://www.litmir.me/br/?b=23685

[38] http://www.litmir.me/br/?b=23685

[39] http://www.litmir.me/br/?b=23685

[40] http://www.litmir.me/br/?b=23685

[41] http://www.litmir.me/br/?b=23685

[42] Там же.

[43] Встреча со студентами СПбГУП 21 декабря 2000 года.

[44] http://www.litmir.me/br/?b=23685

[45] Там же.

[46] *Сурков Е.* Победитель проигрывает // Литературная газета, 1984, 4 ноября.

[47] *Плахов А.* Готов к труду и обороне: Эльдару Рязанову 70 лет // КоммерсантЪ. № 198 (18.11.97).

[48] http://www.litmir.me/br/?b=23685

[49] Там же.

[50] http://www.litmir.me/br/?b=23685

[51] http://www.litmir.me/br/?b=23685

[52] Встреча со студентами СПбГУП в Санкт-Петербурге 21 декабря 2000 г.

[53] http://slujebroman.ru/nepodvedennie_itogi_40.html

[54] http://www.litmir.me/br/?b=23685

[55] http://www.kino-teatr.ru/kino/movie/ros/5615/annot/

[56] *Маслова Л.* Бриллиантовая нога // Искусство кино. 1997. № 3

[57] *Быков Д.* Пятерка гнедых, или Грезы на кладбище. URL: http://kinoart.ru/archive/2000/09/n9-article7

[58] Встреча со студентами СПбГУП 21 декабря 2000 г.

[59] Эльдар Рязанов: Делаю что хочу и имею право: интервью. http://www.film.ru/articles/eldar-ryazanov-delayu-chto-hochu-i-imeyu-pravo

[60] *Екатерина Барабаш.* Как Рязанов сам себя у себя украл. 14.03.2003. URL: http://www.film.ru/articles/kak-ryazanov-sam-sebya-u-sebya-ukral

[61] http://gov.cap.ru/info.aspx?gov_id=679&id=847963&type=news

[62] http://m.obozrevatel.com/news/2007/11/20/202579.htm

[63] Встреча со студентами СПбГУП 21 декабря 2000 года.

СОДЕРЖАНИЕ

Литературно-художественное издание

МУЖЧИНЫ, ПОКОРИВШИЕ МИР

Афанасьева Ольга Владимировна

ЭЛЬДАР РЯЗАНОВ
ИРОНИЯ СУДЬБЫ, ИЛИ…

Редактор *О.И. Григорьева*
Художник *Ю.Р. Рудольфовна*

ООО «Издательство «Алгоритм»
Оптовая торговля:
ТД «Алгоритм» 617-0825, 617-0952
Сайт: http://www.algoritm-kniga.ru
Электронная почта: algoritm-kniga@mail.ru
Интернет-магазин: http://www.politkniga.ru

Өндірген мемлекет: Ресей
Сертификация қарастырылмаған

Подписано в печать 25.02.2015. Формат 60x84^1/$_{16}$.
Печать офсетная. Усл. печ. л. 14,0.
Тираж 1500 экз. Заказ 1596.

Отпечатано с готовых файлов заказчика
в ОАО «Первая Образцовая типография»,
филиал «УЛЬЯНОВСКИЙ ДОМ ПЕЧАТИ»
432980, г. Ульяновск, ул. Гончарова, 14

ISBN 978-5-906789-26-6